KB096589

은색 사바나

은색 사바나

김민지

프롤로그

가능성에 관해 이야기하려 글을 썼다. 모든 사람에게 의미 있는 사람이 되고 싶어서 줄곧 고통스러웠다. 마음이 아파지면 이번에야말로 무정해져야지 다짐한다. 저울에 놓고 무게를 가늠하며 살아야지. 영영 모질어지겠다고 결심한다. 야속해지면 덜 슬플 수 있다. 어떤 인간도 안전하지 않기 때문에 창문을 닫는다. 감정을 정확한 단어로 꼬집고 싶은 욕심을 버린다. 말이 향하는 대상을 분명히 하지 않는다. 동이 트도록 전화를 끊지 않았던 이유를 베개 아래 묻는다. 그러고 나면 작고 미약한 가능성이 남는다. 그렇지만 지붕 위로 던져버려도 어떻게든 뿌리를 내리고 자라난다. 가능성에 대한 이야기를 세 편 썼다. 나는 약간의 희망을 품고 조심스럽게 말을 꺼낸다. 여긴 소설 속이고 환상 안이며 실재하지 않는 공간이다. 이 무한한 허구에서 나랑 거짓말을 해볼래.

그럴 수 있다는 말을 달고 사는 그 사람은 정작 어젯밤 꿈속에서 어떻게 그럴 수 있냐고 화를 냈다.

차 례

1번째 단편: 은색 사바나

어쩌다 이렇게 됐을까.

평소라면 이런 멍청한 말은 머릿속에 떠올리지도 않는다. 그동안 나는 이렇게 어리둥절하고 뒤늦은 말을 아주 한심하게 생각해 왔다. 누군가 이런 말을 하는 상상만 해도 짜증이 치민다. 이 문장이 곧 고백이나 다름없기 때문이다. 이제껏 한 번도 상황을 깊이 관찰하거나 대화를 뜯어 파헤쳐 본 적 없다는 고백. 나는 삶에 있어 이런 식의 순수하고 안일한 자세가 몹시 싫었다. 이 평화주의자들은 발화에 담긴 의도나 행위의 목적 같은 건 생각해 본 적도 없고, 그저 떠오르는 대로 말하고 또 하고 싶은 대로 움직이는 것으로 만족스러워한다. 그렇게 세상을 무관심으로 일관하다 어느 날 불쑥 나타난 돌부리에 걸려 넘어진 후에야 처량하게 묻곤 한다. 도대체 어쩌다 일이 이 지경이 되었냐고.

다행히 세상에는 빛나는 이성을 가진 부류가 있다. 예리하게 상황을 읽고 스스로의 말과 행동을 통제하는 재능을 타고난 사람들이다. 이들에게 위기란 현명하게 넘어갈 수 있는 작은 언덕에 불과하다. 그리고 나는 단연코 그런 부류에 속해왔다. 정말이지, 물에 떠내려가듯 되는대로 살다가 대책 없이 위험을 마주하고 허우적대는 일만큼은 질색이었다. 통제력을 잃고 예상치 못한 위험에 빠지는 것은 내 역할이 아니다.

그렇지만 오늘만큼은 그것이 내게 주어진 일이었다. 나는 지극히 이성적이며 심지어는 유쾌한 마음으로 역할에 임한다. 교실 안의 모든 크고 작은 눈이 나를 향한다. 건주는 아이들에게 둘러싸여 황망한 얼굴로 이쪽을 보고 있다. 소름끼쳐. 훔쳐놓고 모르는 척 연기한 거야? 낯짝 존나 두껍네. 누군가 그렇게 중얼거렸다. 도둑질이라니. 이 김경주가 남의 물건이나 탐내는 불쌍한 인간이라니. 기막힌 일이다. 하지만 동시에 만족스럽다. 나를 향한 비난이 거세면 거셀수록 내 안에 자신감과 기쁨이 차오른다. 연극의 조명을 받는 사람은 나와 건주 둘뿐이다. 그러나 무대를 주관하는 것은 나다. 이야기는 내 손안에 있다.

불이 켜진 것은 단차가 낮은 무대 위뿐이다. 무대 위에는 두 주인공인 '피타'와 '미사', 낮은 테이블과 의자가 있다. 피타가 입은 치마는 낡고 허름하다. 몇 번이고 기웠지만 구멍이 난 흔적을 모두 가릴 수는 없다. 그러나 미사는 아름다운 새 옷을 입었다. 물론 이것은 연습이기 때문에 화사한 드레스와 낡은 치마는 모두 고무줄로 끝을 묶은 담요로 대신했다. 그러나 피타와 미사의 눈에 어린 열망만은 참이다.

피타와 미사는 태어날 때부터 함께였던 자매 같은 친구다. 둘은 답답한 시골 마을에서 벗어나 도시의 유명한 배우와 가수가 되길 꿈꾸지만, 현실은 매일 똑같은 사과나무 농장과 양 떼들뿐이다. 그러나 어느 날 축제에서 노래를 부르던 미사는 우연히 그 자리를 지나던 왕립음악학교 교수에 의해 자신이 노래에 천재적인 재능을 가졌다는 사실을 알게 된다. 피타는 먼 수도의 음악학교로 떠나게 된 미사에게 자신을 함께 데려가 달라고 조른다. 그러나 곧 기차에 탈 미사에게는 짧은 시간밖에 없다. 미사는 피타를 위로하고 달래다 결국 피타를 뿌리치고 기차를 타러 달려간다. 혼자 남은 피타가 절망 끝에 집에 불을 지르고 도망치는 것으로 본격적인 이야기가 시작된다.

지루하기만 했던 대본 연습을 마치고 연습 무대에 서는 날이다. 소품 박스를 무대 위로 옮기고 배경용 간이 벽을 끌고 가는 아이들의 얼굴에는 여느 때와 다른 엄숙함이 서려 있다. 나의 마음도 덩달아 긴장과 흥분으로 가득 찬다.

그러나 나는 유쾌하게 초조함을 억누른다. 초조는 헛되이 부푼 빵 같은 것이다. 부피를 줄이고 꾹꾹 눌러 뭉치면 이것은 작고 단단한 동력이 된다. 바로 오늘 나에게 필요한 것이다. 처음은 각별하다. 그것이 아직 완성되지 않은 연극이라 해도. 머릿수건을 두르고 농부처럼 차려입은 아이들이 무대 바로 옆 소품실로 사라진다. 그들은 잠시 후에 무대에 등장할 것이다. 나는 연극의 조명 담당으로, 객석 맨 뒤의 기계실에서 이 모든 것을 지켜보고 있다.

객석의 불이 모두 꺼지고 노란 조명이 켜진다. 피타와 미사가 무대 위로 달려 나온다. 사과 농장과 양 떼가 세상의 전부인 줄 아는 행복하고 맑은 아이들이 즐겁게 무대를 쏘다닌다. 멀리서 기차가 경적을 울리며 지나가자, 피타와 미사는 화들짝 놀라 비명을 지르고 다시 서로를 보며 깔깔댄다.

이곳 영화고는 개교 40주년을 훌쩍 넘긴 오래된 학교였다. 처음에는 그저 한적한 지방의 고등학교에 불과했던 영화고가 명성을 떨치게 된 것은 꽤 오래전 이야기다. 당시 시의원 선거공약이었던 폐수 재활용 분수공원과 신규 분양을 시작한 도시 외곽의 레이크뷰 아파트, 수도로 직행하는 고속도로의 공사가 한꺼번에 맞물리면서 선구안이 있다는 학부모들 사이에서 영화고의 이름이 차츰 알려지기 시작했다. 곧이어 혁신 고등학교로 지정되면서 영화고는 여타 고등학교와 차별성을 두고자 새로운 교육 프로그램을 발표했다. 바로 세 학년이 모두 참여하는 교내 예술제다. 독일의 발도르프 교육에서 모티브를 따왔다는 예술제는 연극과 영화에 중점을 두며 이공계를 첫째로 꼽던 입시계에 때아닌 철학과 고전문학 열풍을 이끌어냈다. 특히 진보성향의 교육감이 창의교육을 슬로건으로 내걸었던 그때, 영화고 출신 신인배우들의 독립영화가 해외 영화제에서 아마추어 상을 받으면서 예술제는 당당히 영화고의 상징으로 자리 잡았다. 그 중에서 1학년에게 주어진 프로젝트는 바로 연극제였다.

나는 학교에 입학하기 전부터 연극제를 기대해 왔다. 어렸을 적부터 내게 타인을 들여다보는 일만큼 재미있는 것은 없었다. 연극제는 처음으로 내게 주어진 기회인 것이다. 사람을 뜯어보고 헤집어볼 기회. 내 마음대로 움직이는 사람을 보고 싶다. 나는 온통 그런 생각에 빠져서, 반드시 내 삶에 한 획을 그을 작품을 만들겠단 다짐으로 설레고 있었다. 그런데 예상치 못하게 내 앞에 그녀가 나타난 것이다.

삶에 못처럼 박혀 영원한 자국을 남기는 사람이 있다. 대개는 아프게 남은 첫사랑, 결혼을 앞두고서야 이해하게 된 나이 든 부모나 지난한 방황 중에 만난 선생님을 꼽는다. 그러나 그것은 어디까지나 성숙한 어른이라 자부하는 사람들의 이야기지. 십 대의 첨예한 지성을 그저 어린 시절이라는 말로 일축하고 열다섯의 폭풍 같은 건 한때로 치부하고 잊어버리는 것들이나 그렇게 말하곤 한다. 나는 다르다. 나는 일찍이 달랐다. 나 김경주는 열일곱의 봄, 폭풍처럼 등장한 운명과 마주쳤다. 아무렇지 않게 휘두르는 손은 시선을 사로잡고 지나가다 무심하게 남긴 흔적마저 반짝반짝 빛이 난다. 누군가에겐 화면 속 아이돌이고 누군가에겐 SNS 셀럽들이라면 내게는 그게 바로 김건주였다. 고작 한 글자의 차이로 우리는 완전히 다른 사람이었다. 건이라는 글자는 한쪽 다리를 앞으로 내밀고 도발적인 자세를 취한 모델을 떠올리게 했다. 경주라는 이름이 비쩍 말라 볼품없는 말 따위를 연상시키는 것과는 다르게.

건주는 아름답다. 애들끼리 시시덕대며 나누는 수준 낮은 외모 평가에는 취미가 없지만, 그럼에도 그것은 사실이었다. 모두가 그녀를 좋아했다. 지나가는 선배들이 건주를 보고 멈추어 서거나, 건주가 없는 곳에서도 누군가 그녀를 주제로 이야기를 꺼내는 식이다. 건주에게는 정말로 시선을 끄는 무언가가 있었다.

립글로스를 두껍게 바르지 않는다. 입구에서 내용물을 덜어 양을 조절하고 아랫입술에 먼저 크게 한 번 펴 바른다. 입술을 앙다물어 윗입술에 적당히 묻히고, 약지로 살살 퍼트린다. 조금 부족하다 싶으면 새 부리처럼 톡 튀어나온 입술 산에 슬쩍 발라준다. 옅은 살구색 베이스 위로 자잘한 보랏빛 펄이 반짝거린다. 나는 건주의 움직임을 진지하게 감상했다. 나의 태도는 감상이라는 단어를 쓸 만큼 엄숙하다. 그때 건주와 눈이 마주쳤다.

"어때? 예쁘지."

"응, 잘 어울려."

건주의 물음에 생각할 겨를도 없이 대답이 튀어나왔다. 나는 새삼 놀라운 사실을 깨닫는다. 나의 온 신경은 어떤 상황에서든 건주를 향해 있다. 최근 유행하는 립스틱이나 틴트와는 전혀 다른 스타일의 립글로스인 것까지 완벽하다.

내 대답에 건주의 앞볼이 둥글게 부풀어 오르고 입가에 주름이 쏙 팬다. 가슴이 몹시 두근거린다. 내가 원하는 것은 바로 저런 미소다. 같은 시야와 관점을 가진 사람, 자신의 이해자에게만 보이는 비밀스러운 웃음. 곧바로 나는 조금 아쉬워지고 만다. 만약 이 연극의 주인공이 건주였다면, 나는 건주에게 가장 눈부신 조명을 비춰줄 텐데.

학기 초부터 1학년들은 본격적인 연극제 준비에 돌입했다. 첫 연극 수업을 하는 날이었다. 극단 경력이 20년 가까이 된다는 강사는 무대 위로 올라와 담담한 목소리로 말했다. 연극의 가장 첫 번째 요소는 멋진 남녀주인공도 낭만적인 대사가 적힌 대본도 아니다. 바로 시간이 느리게 흐르는 느낌을 온몸으로 체감하는 것이다. 연극이라는 세상 속 느릿하게 부유하는 공기를 느끼고 제4의 벽이라는 것을 잊어버릴 때 비로소 낯선 세계에 발을 딛게 된다고. 그의 말투는 단조로웠고 단어는 모호했다. 나는 그의 문장에서 어렴풋한 의미를 이해하고자 고심했다. 그는 뒤이어 우리가 무대에서 침묵을 견디는 법을 배우게 될 거라고 했다. 말을 마친 후 그는 객석 맨 뒤 기계실로 올라갔다. 수업 시간 내내 무대에는 노란 조명이 켜져 있다. 만약 누군가 무대에 올라온다면 불이 꺼지고 잠시 후 스포트라이트가 켜진다. 무대에 올라온 사람은 고요를 견디며 1분간 그곳에 서있는다. 무엇을 해도 좋다. 단지 1분 동안 모두의 시선을 받으며 무대 위에 머물러야 한다.

나는 팔짱을 끼고 푹신한 의자에 몸을 묻었다. 여기 있는 아이들 중 과연 누가 이런 대담함을 보일 수 있을까? 스스로 세상 사람들 머리 꼭대기에 올라 서있다고 자만하는 짓을 싫어하면서도 나는 무심코 단정하고 말았다. 분명 한 시간 내내 아무도 단상에 오르지 않을 것이다. 나 역시 올라갈 생각이 없었다. 내가 원하는 것은 은밀한 관찰이었지 결코 부담스러운 구경의 눈빛이 아니란 말이다. 시간이 지날수록 아이들은 점점 노란 조명에 적응했고 무대는 존재감을 잃었다. 바로 그때였다.

나는 어둠 속에서 무언가 움직이는 걸 알아차렸다. 점점 선명해지는 형체는 바로 건주였다. 이전에는 그녀에게 주목한 적이 없었다. 건주는 물론 또래 애들 중에서 눈에 띄는 존재였지만, 이때까지 나의 마음을 사로잡을 만한 유별함은 없어 보였다. 건주는 성큼성큼 걸어 무대로 향했다. 말려 올라간 치마를 정돈하는 움직임도 없이 단번에 단상에 올라온 건주가 무대의 가운데로 걸어왔다. 건주가 눈을 감자 불이 꺼졌다. 잠시 후 스포트라이트가 켜졌을 때 나는 너무나 놀라 두 눈을 휘둥그레 떴다.

건주는 팔을 자연스럽게 늘어뜨린 채 무대 위에 서있었다. 살짝 옆으로 기운 자세는 감각적이었다. 내가 예상했던 부끄러움과 수줍음은 없었다. 얼굴에는 엄숙하고 매서운 기세가 묻어났다. 얼굴의 굴곡을 따라 흐르는 빛이 그런 기세에 힘을 실어주었다.

부드럽고 생글거리는 미소를 지운 건주가 새까만 허공 저편을 응시한다. 뾰족한 눈매는 마치 강인한 맹수의 것 같았다. 순간 건주의 긴 곱슬머리가 초원의 모래바람에 흩날리는 착각에 빠졌다. 그리고 나는 분명 확신하고 있다. 우리의 눈이 마주쳤다고. 건주는 고개를 움직여 나를 바라보았다. 마치 내가 그곳에 있단 걸 처음부터 알았던 것처럼. 우리는 눈을 마주한 채 몇 초를 침묵 속에 있었다. 나는 정말로 시간이 느리게 흐르는 것 같은 느낌에 정신이 혼미할 지경이었다.

불이 꺼졌다. 다시 조명이 켜졌을 때 건주는 환한 미소를 지으며 단상에서 뛰어내려 자기 친구들에게 다가갔다. 여자애들이 요란한 소리를 내며 건주를 반겨주었다. 나는, 진한 여운에 빠져 꼼짝도 할 수 없었다. 그날 직감했다. 우리가 같은 부류라는 것을, 건주에게도 나와 같은 타오르는 무언가가 숨겨져 있다는걸.

연극에서 가장 중요한 소품은 피타의 손거울이다. 장미와 포도 넝쿨이 새겨진 손거울에서는 행복했던 둘의 과거와 자신을 버리고 떠난 미사에 대한 분노와 애틋함이 묻어난다. 나는 손거울을 들고 요정처럼 춤을 추며 무대 위를 누비는 피타를 상상한다. 그것은 원래 미사의 것이었다. 피타와 미사는 언젠가 각자 유명한 배우와 가수가 되었을 때 어떤 모습일지 상상하며 소녀다운 태도로 거울에 얼굴을 비춰보곤 했다. 특히 미사는 젊은 시절 유명한 가수였다는 할머니에게서 물려받은 이 작은 손거울을 몹시 아꼈다. 그러나 미사가 미처 이것을 챙기지 못하고 음악학교로 떠난 이후 피타는 손거울을 가져온다. 수도로 도망친 피타는 다른 신분으로 살며 미사의 모습을 모방한다. 미사의 거울은 늘 피타와 함께한다.

소품팀은 본격적으로 연기 연습이 시작되는 시기에 맞춰 소품을 하나씩 제작하기 시작했다. 그중 하나가 바로 이 손거울이다. 피타와 미사의 마지막 편린. 은색과 갈색 물감을 두껍게 얹어 꾸며 놓은 것에는 그런 의미가 있다. 미사를 향한 피타의 강렬하고 진득한 집념이 묻어난다. 나는 조명 장치 앞에 앉아 저 멀리 거울을 들고 배우처럼 손을 흔드는 건주를 바라본다. 분명 다른 사람의 물건인데도 마치 건주의 것처럼 잘 어울렸다. 건주를 둘러싼 여자애들의 얼굴에 웃음이 가득하다. 건주는 어쩐지 미적지근한 태도로 길에서 꽃바구니를 파는 이름 없는 소녀 역할을 자처했지만, 누가 보아도 건주에게서는 주인공다운 빛이 뿜어져 나왔다. 건주가 무대에서 이 거울을 들 일이 없다는 것이 나의 유일한 아쉬움이었다.

그런 손거울이 온데간데없이 사라졌다. 당분간 기계실 공사를 진행하는 시청각실 대신 연습 장소는 교실이었다. 이런 날 연극의 기계 장치를 담당하는 나 같은 사람은 구경꾼 역할을 맡는다. 많은 준비는 필요 없었다. 책상을 모조리 뒤쪽으로 밀고 간단히 먼지를 쓸어낸다. 몇몇 아이들은 담요 끝을 모아 머리끈으로 묶어 배우들에게 옷을 입혔다. 저번 연습을 마치고 꽤 많은 소품을 준비한 덕분에 이번 연습은 조금 더 그럴듯해질 예정이다. 머릿속에 있던 장면이 하나둘 현실화되는 모습을 보면 가벼운 짜릿함이 느껴지기까지 한다. 그때 소품 상자를 뒤적이던 누군가 의아한 소리를 냈다. 그 목소리는 바로 옆에 있는 몇 명에게만 들리다가 점점 주변으로 퍼져나간다.

"어? 거울이 없는데?"

"뭐야, 잘 찾아봐."

아이들은 교실 곳곳을 샅샅이 뒤졌다. 가방이며 서랍장 문을 열었다 닫았지만, 수확이 없다. 나는 조용히 교탁 앞으로 나가 박스를 다시 헤집었다. 이런 종류의 일은 반드시 내 두 눈으로 확인해야 직성이 풀리고 마는 성격인 탓이다. 거기다 나는 이런 일은 종종 허무하게 해결되기도 한다는 사실을 잘 알고 있다. 그러나 거기에는 어떤 흔적도 없었다.

"거울 마지막으로 건드린 사람 누구야?"

칠판 앞에 선 연출이 아이들에게 물었다. 나는 입을 다문 채 주위를 둘러본다. 아이들의 시선이 자연히 한곳으로 모인다. 소품팀 한 명이 공연히 입을 비죽이며 투덜댔다.

“아무 데나 던져두더니 이럴 줄 알았어. 열심히 준비하면 뭐 해.”

"왜 날 봐? 연습 끝나고 나서 박스에 넣었어. 원래 두는 데다 두지 어디에 둬.”

시선을 받고 얼굴이 붉어진 ‘피타’가 신경질적으로 받아친다. 공격받았다는 듯 뾰족한 말투에 여자아이들 몇 명이 피타의 등을 쓸어내린다. 연출이 서둘러 말을 마무리한다. 교실 뒤편에서는 건주가 손을 닦고 있다.

"됐어, 일단은 손거울 없이 연습해. 잘 찾아보면 어디 있겠지.”

살짝 날이 서려던 분위기가 흐지부지되고 아이들이 제자리로 돌아간다. 짧은 해프닝이 지나가자, 교실은 다시 소란스러워진다. 김이 새버렸다. 나는 빗자루를 들고 주변을 살폈다. 건주가 등을 돌린 채 뒷문 쪽 쓰레기통에 무언가를 버리고 있었다. 나는 재빨리 빗자루를 책상에 기대놓았다. 빗자루를 잘 세워놓고 다시 뒷문을 바라보았지만, 건주는 그새 가고 없었다. 혼자 있는 건주에게 말을 걸 기회는 흔하지 않은데. 나는 아쉬워하며 뒷문으로 다가갔다. 건주를 보려 밖을 살피려던 찰나, 쓰레기통 안에 떨어진 것이 눈에 띄었다. 끄트머리가 은색으로 빛나는 물티슈.

이상한 느낌이 들었다. 가슴속에 물방울이 톡 떨어지는 듯한. 나는 건주가 사라진 문밖을 바라본다. 복도의 열린 창문에서 바람이 불어온다. 건주가 지나간 곳에서는 언제나 생경한 바람이 불곤 한다. 솜털이 곤두서게 만드는 바람. 나는 이런 신호를 쉽게 놓치는 법이 없다. 뒷문으로 나가려던 찰나였다.

"뭐하냐, 김경주."

누군가 내 어깨를 붙잡았다. 익숙한 목소리에 나는 그를 올려다보았다. 유치원 시절부터 친구였던 윤태영이었다.

이어폰을 끼고 창밖을 바라본다. 귓가에 웅장한 피아노 음이 휘몰아친다. 아름다운 오케스트라가 마을버스를 꽉꽉 채운 사람들의 말소리를 덮어버릴 수 있도록 볼륨을 높인다. 클래식 음악의 세밀한 음에 집중하려면 단조로운 배경을 응시하는 것이 도움이 된다. 버스의 이동 경로는 언제나 같으니, 집에 가는 길도 늘 비슷비슷한 장면으로 이루어진다. 달라지는 것이라고 해봐야 어딘가의 손님 없는 가게가 문을 닫고 그 자리에 새로운 가게가 들어서는 일 정도. 얼마 후에는 조금 떨어진 옆 모퉁이에서 똑같은 일이 일어난다. 다음 주에는 이 골목에, 한 달 뒤에는 저 골목에.

나는 한숨을 내쉰다. 세상에는 시시하고 대수롭지 않으며 고리타분한 일들이 너무 많다. 어째서 이 미미하고 하찮은 일들을 빠짐없이 겪어야만 하는지, 언제까지 이 지지부진하고 따분한 일상을 감내해야만 하는지. 이따금 그런 질문들이 나를 냉소하게 한다.

옆에서 어깨를 톡톡 건드리는 감각이 느껴진다. 고개를 돌리자, 윤태영이 고갯짓으로 하차 벨을 가리켰다. 나는 가방을 고쳐 매고 지갑을 손에 든 채 하차 문으로 다가갔다.

소란스러운 버스에서 내리자, 주변은 한결 조용해진다. 이어폰을 빼도 여전히 귓가에는 피아노 소리가 생생하다. 길을 걷는 것은 생각을 정리하기 좋은 수단이다. 방해꾼이 없었더라면 더 좋았을 테지만 때때로 이 애는 방해꾼인 동시에 좋은 협조자다.

“그게 뭐였을까.”

나는 중얼거린다. 계속해서 건주가 버리고 간 물티슈를 생각하고 있다. 윤태영은 나의 대화법을 잘 안다. 여기서는 스스럼없이 나를 드러내도 좋다. 윤태영의 앞에서는 내 견해를 펼치는 일에 망설일 필요가 없다.

"뭐가.”

“건주가 버린 물티슈. 밝은 회색인지, 은색인지 뭔가가 묻어있었는데.”

“은색 뭐. 멸치?”

나는 짜증스럽게 그의 얼굴을 노려본다. 윤태영은 어깨를 으쓱한다. 우리는 어린 시절부터 알고 지내온 사이지만 그가 이렇게 실없는 질문으로 나의 판단에 훼방을 놓을 때면 어김없이 신경질이 난다. 물론 내가 그에게 일방적인 방식으로 대화를 시도한다는 사실을 알기 때문에 대부분의 경우 내 생각을 대강 설명해 주는 약간의 선의를 베풀곤 한다. 나의 예민한 호기심에 동조하느냐와는 별개로 윤태영은 영리한 구석이 있다. 이야기를 들은 윤태영이 잠시 생각에 잠긴다. 곧 그는 가벼운 말투로 대꾸한다.

"물티슈 하나만 보고 뭘 알겠어. 세상 모든 게 네 연구 대상이냐? 내 생각엔 김건주도 너랑 비슷한 것 같다. 너만큼이나 머리가 복잡한 인간 같아."

"너 같은 게 뭘 알아."

불퉁하게 대꾸하지만, 나는 그 말에 잠시 기뻐진다. 윤태영의 눈에도 우리는 제법 비슷한 부류로 보이는 듯하다.

"걔가 왜 그렇게 좋은데?"

좋다. 그 단어가 담고 있는 감정의 가벼움은 새삼스럽다. 따지고 보면 건주와 나는 그렇게 친한 사이가 아니다. 그렇게 많은 대화를 나누지도 않았다. 그럼에도 건주를 생각하면 기묘하도록 가슴이 뛴다. 나는 절대 쉽게 단언하지 않는다. 그러나 건주의 싱그러운 얼굴 밑에 숨은 야성을 목격하고 나서는 이렇게 말할 수밖에 없다. 완전히 매혹됐다고.

"넌 이해 못 해."

"김건주가 예쁘긴 해. 근데 좀 이상해. 애가 좀 무섭다고 해야 하나."

나는 그 무지에 킥킥대고 웃어버린다. 윤태영에게는 건주가 그렇게 느껴지는 모양이다. 나는 그 기분을 이해할 수 있다. 오히려 그가 어렴풋이 건주에게서 꺼림칙함을 읽어냈다는 게 나쁘지 않게 느껴진다. 인간이 이해할 수 없는 미지와 초자연적 현상 앞에 두려움을 느끼는 것과 마찬가지로 당연한 일이다.

오만하게 보일지 몰라도 나는 건주와 나를 여타 다른 사람들에게서 구분해 내고 싶었다. 우리 같은 사람들. 나는 그런 도입부를 비웃으면서도 그 우리 안에 건주와 나를 대입하여 흐뭇해지곤 한다. 언젠가 건주와 내가 우리가 될 기회가 있을까? 이런 생각을 하면 하릴없이 미소가 지어진다.

수도에 있는 왕립 음악학교에 온 미사는 이제 장밋빛 미래가 펼쳐질 것을 확신한다. 곧 유명한 가수가 될 거란 기대 속에 학교생활을 시작한 미사는 얼마 지나지 않아 자신을 데려온 젊은 교수 앙리와 사랑에 빠진다. 교수는 엄하지만 따뜻하고 다정한 인물로 몹시 신사적인 사람이다. 그가 늘 차고 다니는 시계는 그의 권위와 엄격한 면모를 한층 돋보이게 한다. 그러나 그는 때때로 시간이 흐르는 것에 지나치게 예민하며 이따금 이해할 수 없이 초조한 모습을 보인다. 사실 그는 자신이 데려온 학생의 젊음과 목소리를 빼앗아 자신의 지위를 지켜온 악랄한 인물이기 때문이다. 시계는 그의 결벽과 집착의 상징이다.

교실이 온통 어수선하다. 아이들이 각자 자리와 가방, 서랍장을 살피고 있었다. 기시감이 느껴지는 장면이다. 이번에는 심각한 표정을 한 연출과 얼굴이 시뻘겋게 달아오른 남자애가 교탁 앞에 서있다. 온갖 가방과 서랍장이 입을 벌리고 모든 물건이 책상 위에 올라온 교실은 마치 태풍이 휩쓸고 간 현장처럼 느껴질 정도다. 나는 이 혼란한 무질서에 놀라 뒤늦게 상황을 파악하기 위해 주변을 둘러보았다. 소품 담당 중 하나인 남자애는 며칠 전 아버지의 손목시계를 학교에 가져왔다. 중요한 등장인물인 교수의 물건으로 유명한 명품 시계가 어떻겠느냐 아이디어가 나왔던 것이다. 손목시계라고는 잘 모르는 내게도 그 시계는 정말로 괜찮은 것으로 보였다.

연습을 하지 않을 때면 남자애는 시계를 차고 있었다. 그럴 만도 한 것이, 손거울과 달리 이런 물건을 잃어버리면 일이 꽤나 곤란해질 것이 뻔했다. 그럼에도 그것을 그렇게 염두에 두었던 사람은 없었던 모양이다. 끝내 거울을 찾지 못했어도 그것은 어디까지나 관리 소홀 차원에 불과했기 때문이다. 그리고 연극 연습을 앞두고 또다시 물건이 사라져 버리고 말았다. 체육 시간에 잔뜩 땀을 흘린 그는 체육복을 갈아입기 위해 잠시 시계를 가방에 넣어두고 자리를 비웠다. 화장실에 다녀온 후 다시 가방에 손을 넣었을 때는 이미 시계가 사라지고 없었다는 것이다.

나는 침착한 태도로 내 가방 안에 체육복을 밀어 넣는다. 이런 사소한 움직임에도 시선이 따라붙는다. 나는 의도적으로 눈을 굴려 나를 바라보는 아이들을 마주 쳐다본다. 빤히 그들을 바라보니 그들의 눈길은 곧 나에게서 멀어진다. 이런 일은 차분하게 접근해야 하건만 교탁 앞에 선 남자애의 얼굴은 잔뜩 열이 올라 한참이 지나도 식을 생각이 없다. 연출이 입을 열었다.

"이번엔 시계가 없어졌어. 참, 어이가 없어서. 연극 망치려고 작정이라도 했나?"

저번과 다른 점은 또 하나가 있다. 이번에는 확실히 누군가의 의도적인 손길이 느껴진다는 점이다.

"우리 반 애가 한 게 아닐 수도 있긴 한데, 몰라. 모르는 일이지. 계속 찾아보긴 할 거야. 혹시 비슷한 거 보면 나한테 알려줘라."

사실상 학생 차원에서 할 수 있는 일은 없기에 팔짱을 낀 연출이 간단히 말을 마쳤다. 건조한 말투와 다르게 짜증이 어린 표정이다. 아이들도 불쾌한 표정으로 저들끼리 모여 수군거린다. 10분 뒤에 연극 연습을 시작하겠다는 말이 들려도 아이들은 책상을 밀거나 교실을 청소하지 않았다. 미묘하게 긴장감이 어린 분위기가 교실을 맴돈다.

나는 홀로 생각에 잠긴다. 누군가 도둑질을 하고 있다는 사실은 분명하다. 거울 일과는 관련이 없다고 생각할 수 있겠으나 나의 직감은 이것이 범인의 두 번째 시도라고 외치고 있다. 흥미로운 일이다. 그렇지만 사람 없는 틈을 노려 시계를 움켜쥔 채 헐레벌떡 도망치는, 어설픈 좀도둑의 일차원적 사고방식이라면 그만큼 실망스러운 게 없다. 무릇 이런 도둑질을 저지를 때는 대담해야 하는 법이다. 나는 재빠른 손이 비단 이불을 스치듯 가방 속으로 미끄러지는 장면을 떠올린다. 손은 시계를 가볍게 갈무리해 빠져나와야 한다. 과하지도 어색하지도 않은 움직임으로. 자신이 무슨 짓을 하는지 정확하게 알고 있는 전문가의 자세다. 타인의 소유물을 낚아채는 가장 경제적이고 효율적이며 완벽한 각도. 어쩌면 그 손은 가늘고 길며 몹시 부드러울지도 모른다. 마치 무용수의 것처럼, 시선을 끌도록 타고난 사람의 것처럼.

이상하다. 나는 막힘없이 장면을 상상해 낸다. 마치 어디선가 본 것처럼 머릿속에 그려지는 광경이 있다. 누군가의 손. 길고 아름다운 누군가. 나는 황급히 고개를 젓는다. 과한 생각이다.

체육은 잘하지 못한다. 분명히 골대 뒤 보드의 네모난 곳을 겨냥하는데도 농구공은 링 안으로 들어갈 생각을 않는다. 아쉽게도 지금은 사방으로 튀어 나가는 공을 관찰하고 자신의 움직임을 되돌아보며 수정할 여유가 없다. 번호순으로 앉은 아이들이 나를 지켜보고 있다. 정말로 안타까운 광경 앞에서는 차마 장난스러운 야유도 보내지 못하는 법이라, 나는 애매한 고요 속에서 농구공 다섯 개를 연달아 던진다. 단 하나도 빠짐없이 튕겨 나오는 걸 보니 어쩔 수 없이 귀가 뜨거워진다. 그러나 나는 체육관에 울려 퍼지는 공의 소음을 꿋꿋하게 감내한다.

차례대로 자세를 점검받은 후에는 개별적으로 연습하는 시간이다. 아이들이 뿔뿔이 흩어진다. 나는 농구공을 집어 들고 홀로 골대를 향해 걸어갔다. 윤태영이 내게 손짓했지만, 나는 고개를 저었다. 바보 같은 동작은 한 명으로 족하다. 같이 우스운 꼴을 보이느니 눈에 조금 덜 띄는 편이 낫다. 내 공은 이곳저곳으로 튕겨 나간다. 공이 너무 멀어지기 전에 잡기 위해서는 종종거리며 달려야 한다.

옆에서는 박수 소리가 들린다. 나는 공을 집어든 채 옆을 바라보았다. 그곳에는 농구공을 든 건주가 있다. 여자애들이 모여 건주가 공을 던지는 모습을 구경하고 있었다. 건주의 공은 손을 떠나는 족족 매끄러운 곡선을 그리며 링 안으로 들어간다.

건주의 움직임에는 과함이 없다. 결코 손이나 발을 헛되이 휘두르는 법이 없고, 정확히 필요한 각도와 힘만을 사용한다. 그 능숙함, 정돈된 궤적은 감탄스러울 정도다. 깔끔하고 거침없는 손짓. 자기 몸을 온전히 사용할 줄 아는 사람의 동작이다. 나는 고개를 절레절레 저었다. 역시 가방을 뒤지는 건주의 손을 떠올린 것은 과한 생각이었다.

그러다 나는 눈을 가늘게 떴다. 건주의 무리는 여기서 제법 떨어져 있어서 내 쪽에선 그들이 한눈에 보였다. 건주의 곁에는 여자애들이 모여있었는데, 처음에는 알아채지 못했던 것이 자꾸만 눈길을 끌었다. 주변 여자애들이 입은 것에 비해 건주의 체육복이 미묘하게 회색빛을 띠었다. 등판이 새하얀 체육복 사이에 묘하게 때가 탄 듯한 회색이 신경을 거슬렀다.

의아한 마음에 나는 건주를 뚫어져라 쳐다보았다. 보면 볼수록 그들과 건주의 색 차이가 분명해졌다. 땀과 흙먼지가 묻어 지저분한 회색의 체육복. 얼룩이 진 듯한 옷이다. 건주가 입은 옷이 그럴 리 없는데. 나는 입술을 비틀었다. 기분이 이상했다. 뱃속 깊은 곳에서 무언가 은밀하고 꺼림칙한 것이 느껴지는 듯했다. 이번에도 과한 생각이다. 나는 불쾌한 느낌을 털어내기 위해 고개를 흔들었다. 그러나 이번에는 불편함이 가시지 않는다. 나는 형언할 수 없이 거북한 마음으로 건주에게서 등을 돌렸다

수도에 숨어 사는 피타는 미사의 소식을 듣는다. 미사가 음악학교에서 수업을 마치고 가수로서 첫 공연을 성공적으로 해냈다는 이야기다. 사람들은 미사의 이름을 부르며 환호한다. 길거리마다 미사의 공연 광고가 즐비하다. 피타는 자신이 가져온 미사의 거울을 꺼내어 본다. 거울에는 미사도 피타도 아닌 누군가가 비친다. 피타는 괴로운 마음에 자신의 모자와 머리끈, 치마를 모두 벗어 내팽개친다. 몸에 걸쳤던 것을 벗어던질수록 피타는 본모습을 되찾는다.

연습이 점점 후반부를 향해 달려간다. 연극을 올리는 날도 성큼성

큼 다가온다. 반의 분위기는 점점 더 무거워졌다. 얼마 전에는 교육 방송을 전담하는 작은 방송국에서 1학년 연극제를 취재하고 싶다는 의사를 밝혔다. 많은 신인 배우를 양성해 낸 영화고의 연극제가 외부에도 제법 잘 알려진 것이라, 2부로 이루어진 특집 프로그램을 통해 혁신 학교의 교육을 알린다는 취지였다.

결코 기쁜 소식은 아니었다. 연극을 처음 준비할 때의 열의와 달리 반에서는 더 이상 웃고 즐거워하는 소리가 들리지 않는다. 누구도 책상을 밀지 않고 바닥의 먼지를 쓸어내지 않으며 서로를 불쾌한 눈으로 바라본다. 인원수대로 뽑았던 연극 대본은 낱장으로 뜯겨 재활용 쓰레기통 속을 굴러다닌다. 그리고 마침내 총 리허설을 하기로 한 날이 다가왔다. 아이들은 모두 모여 찢어진 원피스를 바라본다. 미사의 무대를 위해 빌린 고전적인 디자인의 원피스는 가슴팍에 달린 새틴 리본 장식부터 목깃까지 길게 찢어져 너덜거린다.

"아, 시발. 망했네."

누군가 욕을 내뱉는다. 모든 것이 완벽한 층을 쌓아 차곡차곡 완성되어야 할 연극은 완전히 무너지고 만다. 이제는 모든 것이 너무나 분명하다. 범인의 속셈은 연극을 완전히 망치는 것이다. 그런가? 나는 눈을 가늘게 뜨고 찢어진 곳을 자세히 살핀다. 나는 금세 알아차린다. 리본 브로치가 꽂힌 부분을 슬쩍 잡아당기자 매끄러운 새틴이 찢긴 모양대로 끌려온다. 범인은 브로치를 가져가려고 옷을 잡아당겼던 것이다.

그렇지만 범인이 정확히 무엇을 노렸는지가 중요한 것은 아니다.

어떤 이유에서건 이번에 그는 실패했고 우리의 연극도 기로 앞에 서게 되었다. 누군가 사나운 말투로 말했다.

"그러게, 처음부터 연극 같은 걸 왜 하냐고. 이거 해라, 저거 해라 시키기나 하고. 열받게."

곧바로 퉁명스러운 대꾸가 튀어나왔다.

"반 연극제 준비하는데 이래라저래라 안 하면 너희가 뭘 어떻게 할 건데."

"뭐라고 했냐."

"남들 할 때 책상 좀 밀고 물건 챙길 때 진작에 좀 도와주고 이랬으면 이렇게까진 안 됐어. 일은 왜 우리만 하는데?"

분위기가 점차 험악해진다. 옆에서 말리는 애들이 무색하게 언성이 점점 높아졌다. 가끔 감정은 소설 속에서보다 현실 속에서 더 극적이다. 이제는 말리는 아이들과 싸우는 아이들이 마구 섞여 누가 무슨 짓을 하는지도 알 수 없을 지경이다. 이상하게 몹시 지친 기분이 들었다. 연극은 아직 시작하지 않았건만 마치 연극의 막바지에 이른 것처럼 숨이 찬다.

나는 말싸움을 벌이는 무리에서 비껴나 뒤로 몇 걸음 물러난다. 아무도 주목하지 않는 어두운 뒤쪽에는 건주가 있었다. 불이 꺼진 교실 뒤편에 서서 건주는 칠판 앞에 걸린 찢어진 원피스를 바라보고 있다. 항상 사람들 틈에 있던 건주는 이 순간만은 혼자, 아주 조용히 원피스를 노려본다.

낯선 광경이다. 눈빛에 형체가 있다면 건주는 눈빛만으로 원피스를 갈기갈기 찢을 것만 같다. 나도 모르게 숨을 참고 그녀를 구경했다. 막연히 이것이 건주의 진정한 맨얼굴이 아닐까 하는 생각이 든다. 나는 책상을 짚은 건주의 손을 본다. 건주의 손끝에는 날카로운 것에 긁힌 듯 붉고 긴 선이 생겨나 있다.

윤태영이 어깨를 잡을 때까지 나는 깊은 생각에 빠져 있었다. 거스러미가 일어나고 붉게 달아오른 손끝.

"무슨 생각해?"

나는 대답을 하지 않았다. 머릿속은 건주로 가득 차 있지만 이상하게도 건주의 이름이 입 밖으로 쉽게 나오지 않는다. 나는 무척이나 오랜만에 씁쓸한 기분을 느끼고 있다. 이유를 알 수 없는 패배감이 나를 사로잡았다. 내가 무언가를 잘못 보았을까? 내가 뭔가를 착각했던가? 스스로를 되짚어보다가 나는 한숨을 푹 내쉰다. 윤태영이 나를 흘끔 보고는 불쑥 말을 꺼낸다.

"맞다. 나 저번 주에 중앙시장에서 김건주 봤다."

"중앙시장?"

나는 반사적으로 되물었다. 건주에 대한 마음이 온통 혼란스러운 와중에도 건주의 이야기가 귀에 들어온다.

"어, 나 이주에 한 번은 꼭 시장 가잖아. 3동 순댓국집이 우리 엄마 단골집이라. 토요일에 걔 거기서 혼자 밥 먹는 거 봤다. 근데 이상하게, 옷이 좀 낡아 보이더라."

나는 발을 멈춘다. 누군가 당장 눈앞에서 칼을 휘둘러댄다고 해도 이처럼 가슴이 철렁하지는 않았을 것이다. 윤태영은 대수롭지 않게 말을 이었다.

“주인아줌마가 우리 엄마랑 절친이야. 밥 먹는데 말해주더라. 걔도 여기 자주 온다고. 엄마랑 둘이 사는데 걔네 엄마가 방문요양보호사래.”

“요양보호사?”

나는 스스로의 목소리를 듣고 놀란다. 마치 목이 졸린 사람에게서 나오는 소리처럼 들린다. 말을 하는 것이 이토록 어려울 수 있다니.

“요양하는 노인들 집에 살면서 일한다고. 엄마가 일주일에 한 번 집에 온대. 사실상 혼자 사는 거지. 옷이 다 떨어져 가던데.”

나는 아무런 말도 하지 않는다.

“평소에 걔 모습이랑 좀 다르긴 했어. 추리닝 입고 있어서 처음엔 나도 못 알아볼 뻔했다니까.”

어떤 말은 귀 기울여 들어도 뜻을 알 수 없다. 고막으로 들어와 다시 반대편 귀로 나가버리기 때문이다. 어쩌면 나는 해석하고 싶지 않은 건지도 모른다. 나의 머리는 이 이야기를 받아들이고 싶어 하지 않는다. 윤태영의 말을 몇 번이나 우물거린 후에야 나는 그의 이야기를 간신히 이해한다. 동시에 나는 섬광처럼 모든 것을 받아들이고 연결한다. 그동안 마음 깊은 곳에 계속해서 맴돌던 불편하고 미심쩍은 의문들이 모조리 가지를 뻗고 자라나 하나로 이어진다.

머릿속에는 수많은 건주가 있다. 도도하고 우아한 건주. 거울을 들고 생글생글 웃는 건주와 야수처럼 번뜩이던 조명 아래 건주. 립글로스를 바르며 즐거워하던 건주. 내가 무척이나 사랑하는 건주의 당당함과 생기.

그리고 내가 알지 못하는 건주가 있다. 한계가 없는 상상력이 얼마나 잔혹한지. 나는 허름하고 낡아 떨어진 트레이닝복 차림으로 혼자 순댓국을 먹는 건주를 잔인하도록 생생히 그려낸다. 온몸에 소름이 돋아 숨을 쉴 수 없을 지경이다. 나는 나도 모르게 씨근덕거리는 숨을 내쉬고 있다. 비명을 지르지 않으려면 있는 힘껏 나 자신을 억눌러야 한다. 나는 도대체, 그동안 건주의 무엇을 보고 있었던가? 지금까지 내가 본 것들은 다 뭐였지? 알 수 없는 배신감이 차오른다. 이제껏 내게 이런 모멸은 없었다. 고통스럽다. 지금까지의 네가 다 가짜였다고.

그렇다면, 건주에게서 느껴지던 그 바람은 도대체 무엇이었지? 초원의 밤처럼 생생히 살아 움직이는, 맹수 같았던 건주는 어디로 갔지? 나는 순식간에 엄마를 잃은 어린아이처럼 허망해진다. 마치 길을 잃은 듯한 기분에 입술이 바르르 떨린다.

마침내 피타와 미사가 다시 만난다. 나는 기나긴 연극 내내 이 장면을 고대해 왔다. 피타는 무대 위에서 화려한 옷차림을 하고 아름다운 노래를 부르는 미사를 지켜본다. 눈이 부신 미사. 피타는 객석에서 무대를 올려다보며 생각한다. 미사는 사과 상자 위에 서서 피타 외에는 아무도 듣지 않는 노래를 부르던 시절에서 벗어나 다른 사람처럼 노래를 부른다. 피타는 그런 미사를 보며 아쉬움과 슬픔의 눈물을 흘린다. 미사를 축복해 주기 위해 대기실로 찾아간 피타는 그러나 충격적으로 변해버린 미사를 목격한다. 연인인 교수의 꼬임에 넘어가 마법 계약을 맺은 미사는 아름다운 목소리를 얻고 자신의 젊음을 내어주었다. 백발의 노파가 되어버린 미사를 발견한 피타는 아연실색하고 만다. 지금까지 피타가 알던 순수한 미사는 사라졌다. 눈앞에는 아름다운 목소리를 가지려 모든 것을 포기한 욕심 많은 노파뿐이다.

사라진 미사. 나는 텅 빈 복도를 걷는 내내 몇 번이나 그 단어를 입 안에서 중얼거려 본다. 사라진. 사라져 버린. 그렇다면 지금까지 피타가 알던 미사는 어디로 갔을까? 놀랍도록 서늘해진 날씨에 몸이 차갑게 식는다. 그러나 나는 떨지 않는다. 이성이 나의 온몸을 뜨겁게 달군다. 아이들은 모두 체육관에 있다. 체육 수업이 끝나려면 아직 10분 정도가 남았고 건주는 몇 분 전 생리통으로 보건실에 갔다. 나는 어떤 예감, 결코 나를 배신한 적 없는 본능적 신호에 이끌려 교실로 이끈다.

교실에 가까워지자, 뒷문이 열려있는 것이 보였다. 알고 있다. 터무니없고 돌연적이며 어떤 부분에서는 작위적이다. 그러나 우연이라면 아주 미세한 차이로 운명의 줄에 이르지 못한 우연일 테다. 열린 문 사이에 건주가 있다. 어쩐지 이다음을 알 것만 같다. 손이 발갛게 부어오른 건주가 원피스에서 상아색 리본 브로치를 떼어내는 광경을 본다. 건주는 주변을 둘러보지 않는다. 사람이 없다는 걸 확인한 후에는 눈앞의 물건에만 집중한다.

현명한 선택이다. 두 번의 실패는 있을 수 없다. 한 번 목표물을 정하고 움직이기 시작하면 그 후로는 뒤를 돌아보지 않는 것이 최선이다. 이미 발을 떼었으니까. 선을 넘기로 했으니까. 남은 선택지는 둘뿐이다. 목표에 다다를 수 없다는 현실을 뼈저리게 실감하며 부끄럽고 참혹한 심정으로 멈춰서던가, 어떻게든 닿고 말겠단 일생일대의 각오로 이를 악물고 질주하던가. 나는 후자를 고른다. 결코 허망하게 멈춰서서는 안 된다.

나는 문을 박차고 달려간다. 옆 반에서는 수업을 하는 선생님의 목소리가 들려오고 애들은 체육관에서 돌아오지 않았으며 교실에 늦은 가을의 서늘한 바람이 분다. 햇빛이 들이치고 먼지가 회오리치는 아름답고 따뜻한 장면 속 건주의 얼굴은 언젠가처럼 빛을 받아 반짝거린다.

이 순간 우습게도 나는 한 글자로 우리를 가른 이름에 대해 생각했다. 건이라는 도도하고 아름다운 글자. 사자의 갈기처럼 너를 휘감아 주었던 그 글자. 이제와 보면 이름은 정말로 삶의 전개를 관장하는 것이다. 외롭고 위태로운 건주와 트랙 위를 달리는 볼품없는 말. 나에게는 잘된 일이다. 빼빼 마른 경주마는 결코 미끄러지지 않는다.

나는 곧바로 건주의 손에서 매끈한 천과 브로치를 낚아챘다. 잡아당겨진 천이 찢어지는 느낌과 브로치 뒤의 바늘이 찌르는 화끈한 통증이 선명하다. 비명도 지르지 못한 건주는 손쉽게 물건을 내주고 바닥에 주저앉았다. 완전히 얼어붙은 얼굴이 나를 올려다본다.

"너…."

나는 대답하지 않았다. 이 무대에서는 많은 말이 필요하지 않다. 나는 놀랍도록 이성적이고 동시에 끔찍할 만큼 충동적이다. 이 필사적인 충동은 오히려 머리를 차갑게 식힌다. 눈을 감았다 뜰 때마다 눈꺼풀 안쪽이 시리고 물막이 차오른다. 아주 오랜만에 눈물이 날 것 같다.

쉬는 시간을 알리는 종이 울렸다. 곧바로 주변이 소란스러워지기 시작한다. 아이들이 체육관에서 교실로 오기까지는 아주 짧은 시간이 남아있다. 그러나 오히려 이런 때야말로 시간이 느리게 흐르는 것을 느낄 수 있는 때다. 연극이라는 세상의 공기를 느끼는 것. 첫 연극 수업을 하던 날 강사의 말이 다시 떠오른다. 나는 넘어진 건주를 빈틈없이 뜯어본다. 이마를 감싸고 떨어지는 건주의 긴 곱슬머리와 검은 교복 조끼. 체크무늬 치마와 바닥에 떨어진 슬리퍼 한 짝. 나는 문득 손안의 새틴 리본을 내려다본다. 뒤늦게 건주에게 이 리본이 꽤 잘 어울렸으리란 생각이 든다. 그날 거울을 들고 웃는 건주가 빛났던 것처럼.

선도위원회에서는 몇 개월 간의 절도를 교내 봉사 수준에서 처리하기로 했다. 생각보다 더 나쁘지 않은 결과다. 나는 고개를 끄덕였다. 학교를 돌아다니며 청소와 쓰레기를 줍는 일 정도는 아무렇지도 않았다.

위원회 처리 결과를 전달받은 후에는 담임을 따라 운동장으로 갔다. 운동장 옆에 붙은 분리수거장 정리를 도울 예정이었다. 이야기를 전해 들은 윤태영은 아주 기묘한 표정으로 나를 바라보았다. 내가 저지른 일을 믿을 수 없다는 것 같기도 했고, 도대체 이게 어떻게 된 일이냐고 묻는 것 같기도 했다. 나는 그저 어깨를 으쓱해 보였다. 이전이라면 결코 이렇게 모호하고 어중간한 응답을 하지 않았을 테지만, 글쎄. 놀랍게도 기분이 꽤 나쁘지 않았다. 오히려 나는 내가 해낸 일에 어느 때보다도 기뻤다.

분리수거장으로 가는 길에 건주를 마주쳤다. 맞은편의 건주는 이전보다 조금 창백하고 파리했다. 햇빛을 등지고 걸었기 때문인지, 이마를 가린 곱슬머리가 그림자를 만들어 그랬는지는 몰라도 건주는 조금 낯설게 보였다. 나는 건주를 향해 걸었다. 건주도 내 쪽으로 다가왔다. 우리 사이에는 어떠한 말도 없었다. 건주는 나를 제대로 바라보지도 않고 고개를 반대편으로 돌린 채 나를 스쳐 지나갔다. 그러나 나는 그녀의 온 신경이 내게 쏠려있다는 걸 알았다. 웃음이 났다. 이것 역시도 퍽 건주답다는 생각이 든다. 도도하고 우아하며 자유로운 초원 위의 건주. 자유라는 무책임과 야만의 단어는 이 순간 꽤 낭만적으로 들린다.

2번째 단편: 구피의 방

열대어가 통에 쏟아져 내린다.

도재는 쭈그려 앉아 뜰채에 담겨 희부연 통으로 옮겨지는 물고기들을 바라보았다. 옆에 딱 붙어 앉은 사람이 거슬렸던지 목장갑을 낀 남자가 몇 번이고 헛기침을 했지만, 도재는 신경도 쓰지 않았다. 폭이 성인 남자의 양팔 너비만 한 수족관에서 좁고 불투명한 통으로 옮겨진 열대어들은 수족관에서와 달리 아주 작아 보였다. 새빨간 지느러미를 팔랑거리던 구피가 가장 먼저 집을 옮겼다. 덩치가 큰 엔젤피쉬도, 눈이 크고 못생긴 청소 물고기도 차례차례 뜰채에 들어갔다. 마지막 남은 네온테트라 몇 마리를 퍼 올리려 팔을 휘적이는 남자의 움직임은 느릿느릿했다. 도재는 느긋하게 자세를 고쳐 앉고 손가락만 한 물고기들의 마지막 헤엄을 감상했다.

"다 됐습니까?"

아빠는 물을 헤집고 힘겹게 물고기를 꺼낸 게 자기라도 되는 양 깊은숨을 내쉬었다. 그러고는 잠시 멍하니 서서 빈 수족관 유리를 쓰다듬었다. 남은 건 수족관을 해체하고 청소하는 일뿐이다. 수족관은 열다섯 살에 보았던 것과 하나도 달라지지 않았다. 고급 레스토랑 의자처럼 둥글고 올록볼록하게 조각된 나무 기둥 네 개가 거대한 수조를 지탱한다. 그 위에는 지붕처럼 처마가 달린 커다란 원목 뚜껑이 있다. 안쪽에는 파란 조명이, 오른쪽에 난 구멍에는 걸이식 여과기와 산소 발생기가 매달려 있었다. 푸른빛 아래 네모난 세상에는 이름을 알 수 없는 물풀과 괴석이 있었다. 흐느적거리는 수초 사이를 지나는 물고기들은 꼭 환상 같다. 도재와 할아버지는 집안의 불을 모조리 끈 채 수족관 앞에 앉아 새파랗게 빛나는 물속을 하염없이 구경한 적도 있었다. 어쨌거나 이미 지난 일이다. 도재는 이제 비어버린 수족관과 통을 번갈아 바라보았다. 좁고 희뿌연 통에서 빙글빙글 도는 물고기들은 이제 열대어 판매업체로 옮겨질 것이다. 그다음 지느러미가 찢어지거나 눈이 튀어나오지 않았는지 따위의 검사를 거쳐 다시 다른 사람의 집으로 가겠지. 혹은 전부 폐기되거나. 어느 쪽이든 이 수족관에서 헤엄치던 때를 기억하는 것이라곤 하나도 남지 않을 것이다. 할아버지의 집에서 살았던 시간이 존재하지 않는 것처럼. 도재는 새빨간 구피 한 마리를 가리켰다.

"얘 하나만 다시 꺼내주세요."

"우리 집엔 물고기 금지야, 인마. 엄마는 생선도 질색하는 거 모르냐."

"하나만."

도재는 꿋꿋하게 열대어가 담긴 통에 시선을 고정했다. 늘 별난 짓을 하는 못마땅한 존재라는 건 이럴 때 도움이 된다. 고집을 부려도 되니까. 회사명이 박힌 캡모자를 고쳐 쓴 중년 남자가 뜰채로 구피를 떠내려 애쓰는 동안 도재는 수초와 괴석을 모아둔 새파란 통에서 손에 잡히는 대로 몇 개를 끄집어냈다. 다시 작은 어항을 만들 생각이었다.

영정사진은 이제 아주 낯설어지기 시작했다. 이틀 내내 하릴없이 앉아 네모난 영정사진을 구경하자니 눈앞의 얼굴은 이제 7년 전 할아버지가 아니라 생판 남의 것처럼 느껴졌다. 도재는 통이 좁은 상복 바지를 잡아당겨 자세를 고쳤다. 평범한 인간은 결코 눈치채지 못한다. 도재처럼 꼼짝도 하지 않고 같은 사진을 온종일 들여다보는 사람만이 익숙한 얼굴 속에서 반짝이는 도마뱀의 세로 동공을 감지할 수 있다. 상조 업체는 누군가의 영정사진에 몰래 파충류 인간의 사진을 삽입함으로써 사람들의 무의식에 도마뱀의 예리한, 날카로운 눈을 심는다. 머지않아 도마뱀의 모습을 한 신인류가 인간 사회에 편입될 텐데 그때 기존 인류의 반발과 거부감을 줄이기 위해서는 반드시 이런 물밑 작업이 필요할 테다. 사람은 눈을 보니까. 입으로는 거짓말을 해도 눈은 진실을 담고 있으니까. 이제 우리 인류는 세로 동공을 읽어내는 법을 배워야 한다. 기밀 작전을 수행하는 상조 업체들은 영국의 비밀정보국과 국제과학수사대, 하여간 말로 표현하기 어려운 각종 은밀하고 어두운 단체와 손을 잡고 있을 것이다. 할아버지라면 기꺼이 미래세대를 위해 자신의 영정사진을 조금 편집하도록 허락했을지도. 도재는 비어져 나오는 웃음을 참기 위해 입술을 꽉 깨물었다.

"너 또 쓸데없는 생각하지."

새엄마는 은밀한 세뇌가 필요하지 않은 인간 중 하나다. 이미 도마뱀의 눈을 할 줄 아는 사람이기 때문이다. 도재는 말없이 자세를 고쳐 앉았다. 고인을 향한 마음이 어땠든 간에 눈앞에 대뜸 죽음이라는 화두를 던져 사람을 심란하고 처연하게 만드는 특수상황이 바로 장례식이다. 그러나 도재 말고는 아무도 그런 감상에 빠지지 않은 모양이었다. 조문객은 아빠의 회사 동료와 서핑 동호회 친구들, 그리고 새엄마와 친한 동네 아줌마 몇 명이 다였다. 식당에서 나오는 대화도 알만해서, 도재는 라디오처럼 들리는 최근 부동산 금리 추세와 근처 초등학교에서 일어난 학교 폭력 이야기를 한 귀로 흘렸다. 방금 데운 전과 육개장 냄새가 거북했다. 만약 할아버지라면 소리 없이 일어나 장승처럼 서서 사람을 불편하게 쳐다보고 있었을 테다. 그러면 요즘 애들 무섭다는 아줌마들도 서핑 얘기에 침 튀기는 아저씨들도 멋쩍게 일어나 사라졌을 것이다.

"안 그래요, 할아버지?"

도재는 사이다를 가져와 국화꽃 단지에 부었다. 겨우 흰 꽃 2단으로 장식된 제단이 조촐하기 그지없다. 가장 싸고 저렴한 제대 장식을 골라 이런 모양이다. 아빠는 이런 것쯤 별거 아니란 말투로 장례식 꽃을 주문했다. 화려하고 풍성하게 꽃을 올려봤자 그건 결국 남은 사람들의 위안에 불과하고, 본인은 그런 죄책감 같은 걸 가질 생각이 없댔다. 열일곱 무렵 고등학교 학비를 내주지 않아 학생주임에게 몽둥이를 맞았던 순간부터 아버지에게 일말의 애정도 없이 살아온 사람이란다. 그래서 식장 밖 근조화환과 회사에서 나온 장례식 깃발은 그렇게 요란하게 늘어놓고 정작 제단은 이렇게 초라하게 해두었냐고 속으로 불평하는 수밖에 없었다. 도재는 음료수 냉장고에서 식혜를 두 개 꺼냈다. 건더기가 있는 음료를 좋아하진 않는다. 단지 이걸로 식비 영수증에 식혜 한 박스가 추가되면 기분이 좋을 것 같았다.

나머지 절차는 빠르게 흘러갔다. 도재는 할아버지의 시신을 보지 못했다. 아무리 사정을 다 알 만큼 친한 유치원 엄마라 해도 이제 다섯 살 된 애를 하루 종일 맡기기엔 눈치가 보였을 것이다. 새엄마는 결국 장례식장에 정재를 데려왔다. 고인의 마지막을 보러 가는 길은 도재에게도 그닥 내키지 않는 일이라, 친척들이 할아버지에게 인사하러 간 사이 도재는 호박전을 손톱만 하게 찢는 데 온 신경을 집중했다. 도재가 잘라놓은 전은 정재의 입에 들어갔다. 화장장으로 옮겨진 관은 서랍을 밀어 넣는 것처럼 매끄럽게 어둠 속으로 사라졌다. 전날 비가 와 흙이 부드러운 땅에 유골함을 묻고 나서 도재와 아빠는 할아버지의 아파트에 왔다. 할아버지 휴대폰에 달려있던 도어락 키로 현관문을 열고 중문을 밀자 불 꺼진 집안에 새파랗게 빛나는 수족관이 먼저 눈에 들어왔다. 아빠는 현관문에 걸쇠를 걸고 열대어 판매업체 직원들이 올라오길 기다렸다.

로고가 박힌 캡모자를 쓴 직원들이 하나둘 올라왔다. 전부 똑같은 차림새에 도재는 그들이 마치 하나의 영혼을 나눠 가진 복제인간들 같다고 생각했다. 빠른 속도로 물고기들을 꺼낸 업체 직원들은 뼈대만 남은 수족관을 두고서 뿌연 페인트 통 같은 것을 짊어지고 사라졌다. 도재는 베란다에서 먼지 쌓인 달 같은 어항을 가져다 구피를 넣었다. 화장실에서 미끄럼방지 슬리퍼를 신고 물풀과 주먹만 한 돌을 맑은 물에 씻었다. 도재가 수초와 돌을 들고나왔을 때 아빠는 거실에 서 있었다. 낯선 고대 유적에 생전 처음 발을 디딘 여행객 같은 눈으로 수족관을 더듬어 보던 아빠는 목장갑을 끼고 수족관 아래 서랍 칸에서 이것저것을 끄집어냈다. 그러다 열대어 사료와 예비용 여과기, 건전지와 청소용품 사이에서 이상한 것을 발견했다.

"이게 뭐지?"

서랍장 안에는 흰 광목천으로 꽁꽁 싸맨 무언가가 있었다. 도재는 사료 봉지에서 한 꼬집을 집어 구피에게 뿌려주고 그쪽으로 다가갔다. 네모난 모양이지만 손으로 쓸면 둥근 곡선이 느껴지는 물건이었다. 한눈에 보아도 먼지 한 톨 쌓이지 않게 정성스럽게 보관한 티가 났다. 색이 누레진 것을 제외하면 말끔한 광목 천이 각 잡혀 차곡차곡 접힌 채 물건을 감싸고 있었다.

"기왓장이다."

도재는 어항을 내려놓았다. 할아버지에 관해서라면 분명 아빠보단 한 수 위여야 했다. 아빠는 자신이 알지 못하는 진실이란 없고 설령 그런 게 있다면 세상 그 누구에게도 발견되지 않은 것으로 여기는 사람이었다. 아빠의 허를 찌를 기회는 자주 오는 것이 아니다. 그러나 기왓장에 대해서는 도재 역시 아는 바가 없었다. 맨 기왓장을 손으로 쓸어보니 표면이 거칠었다. 도재는 힘겹게 기왓장을 뒤집었으나 뒷면 역시 아무런 흔적 없이 말끔하기만 했다. 부드러운 곡선으로 꺾인 판은 그저 덩그러니 그곳에 있었다. 아빠는 고개를 젓고 꺼끌꺼끌한 기왓장을 매만졌다.

"이거 어느 집 지붕에서 떼어온 건 아니겠지."

농담에 재미라곤 없었다. 도재는 대꾸 없이 자리를 옮겨 다시 어항을 살폈다. 둥근 어항을 헤엄치는 구피는 불안하고 초조해 보였다. 넓은 수족관에서 턱없이 좁은 세상으로 왔으니, 구피가 뭘 몰라도 이 상황이 당황스럽다는 건 알 테다.

아빠는 이 집에 대해 아는 것이 하나도 없었다. 아버지에게 어떤 애정도 애틋함도 없다는 사람답다. 이 순간 도재는 유적지에 들어온 고고학자다. 아빠는 길을 잃어 이쪽을 따라온 눈치 없는 여행객. 도재는 한숨을 쉬었다. 아무에게도 공개되지 않은 유적지에 들어온 고고학자에게는 소명이 있다. 간직할 만한 단 하나의 무언가를 찾아내는 것이다. 인류애나 기후보호처럼 거창한 의의는 아니어도 할아버지에게는 특별한 세계관이 있었다. 이 집, 그중에서도 수족관은 할아버지의 정신 같은 것이었다.

도재는 이 집을 잘 알았다. 열다섯 살에는 이 집에 살았다. 벌써 4년 전의 일이다. 당시의 엄마아빠는 별거란 단어를 강조하며 마치 둘 사이에 아직 관계 개선의 여지가 남아있다는 것처럼 이야기했다. 한 명은 식탁 앞에 앉아서, 한 명은 소파 앞에 서서. 도대체 어디에 시선을 두어야 할지 고민했던 도재는 곧 그런 것은 하등 고민할 문제가 아니란 걸 알았다. 한심한 열다섯에게는 선택권이 없었다. 엄마는 새벽

마다 베란다 창문을 열고 담배를 피우며 누군가와 통화를 했다. 아빠는 괜찮은 시계를 차고 선크림을 바른 채 누군가와 근사한 저녁을 먹고 왔다. 그때쯤 엄마와 아빠에겐 부모라는 호칭 대신 다른 이름이 있고 그 이름에서 비롯된 다른 역할이, 다른 세계가 있다는 것을 깨달았다. 그러나 도재는 끔찍하게도 그저 도재일 뿐이었다. 어디로도 고개 돌릴 수 없는. 그렇게 두 계절치 옷을 엉망으로 섞은 캐리어를 들고 이 집에 왔었다.

사람들이 6월에도 청재킷을 입던가? 도재는 잠시 생각에 잠겼지만, 캐리어에는 더 이상 겉옷을 넣을 자리가 없었다. 남은 자리에는 양말과 티셔츠, 팬티를 하나라도 더 밀어 넣어야 했다. 도재는 땀이 축축한 이마를 손등으로 쓸어내려다 말았다. 청재킷에 꽉 감싸인 몸이 너무 뜨거웠고 캐리어와 버스 손잡이를 한참이나 움켜쥐어야 했던 손은 불덩이를 잡은 것처럼 화끈거렸다. 두 정거장만 지나면 양정동이었다. 에어컨은 마치 입으로 부는 바람처럼 미약했다. 동그란 에어컨 입구에 이마를 들이박고 싶은 심정이었다. 엄마는 할아버지 집에서 다섯 정거장 떨어진 지하철역 앞에 도재를 내려주었다. 당장 옆 도시로 컨퍼런스 콜을 하러 가야 한댔다. 그래도 꼭 너 혼자 여행 가는 것 같지 않냐며 조수석 창문으로 손을 흔들었다. 그래서 도재는 재킷을 벗지도 못한 채 캐리어를 질질 끌고 버스에 올라탔다.

버스에 타는 것만큼이나 힘겹게 내린 도재는 주머니를 더듬고 나서야 교통카드를 찍지 않고 내렸다는 사실을 깨달았다. 그러나 오늘은 더 이상 실망할 기운이 남지 않았다. 휴대폰 지도 앱으로는 아직 아파트까지 10분이 남았다. 도대체 이 지도의 거리 시간 계산법은 어떤 기준으로 되어 있는 걸까? 누가 이런 계산을 한 걸까? 유난히 발이 빠른 사람이 걸어 다니며 시간을 잰 걸까? 아무리 키가 작고 보폭이 짧은 걸 감안한다고 해도 이만큼의 오차가 발생한다면 누군가 문제를 제기해야 하는 거 아닐까? 그러나 확실한 것은 그게 도재일 리는 없다는 사실이다. 당장 엄마에게 조금 더 가서 내려달라는 말도 못 했으면서. 아니면 최소한 이게 여행 같지 않다는 말이라도 했어야 했는데. 그렇게 한 마디라도 꺼내면, 줄줄이 말이 나왔을지도 모르는 일이다.

어쨌든 도재는 숨이 턱 끝까지 차도록 입을 꾹 다물고 울퉁불퉁한 아스팔트 위로 캐리어를 끌었다. 입을 열어서는 안 될 것 같았다. 오래된 단층 주택은 플레이트 기와 타일 지붕을 달고 있었다. 도재는 바람에 이는 흙먼지에 내내 기침하며 담장 반 바퀴를 돌았다. 녹슨 대문 안에는 넓은 마당이 있었고 그 앞에 할아버지가 현관문을 열고 서있었다. 고집스럽게 다물린 입과 툭 튀어나온 코, 길쭉한 안경. 그런데 너무 가깝지 않나? 할아버지는 당장 도재의 재킷을 움켜쥐고 뒤로 잡아당겼다. 불시의 습격에 도재는 반 바퀴를 돌며 휘청거렸다.

"벗어라."

그제야 도재는 재킷을 벗었다. 집 안에 들어가지도 못하고 현관문 앞에 서서. 할아버지는 도재가 떨어트린 캐리어를 주워주지도 않고 재킷을 벗는 것을 지켜보았다. 이 세계에 입장하려면 문 앞에서 먼저 겉옷을 벗어야 하는지도. 도재는 아이들 사이에 유행하는 판타지 배경의 게임을 떠올렸다. 이 문을 열면 새로운 세상이다. 이전의 원칙과 제한은 모조리 사라져 버리고 마는 곳이다. 이곳이라면 그냥 '도재' 말고도 다른 역할을 찾을 수 있을 것이라는 기대가 빈 뱃속을 채웠다.

도재는 꿋꿋하게 검은 교무실 소파 하나를 차지하고 앉아 일어나지 않았다. 지나가는 선생님들이 도재를 흘끔 바라보며 수군거렸다.

"걘 왜 저기 있대요?"

"그 있잖아, 집에서 좀 우울한 애들. 재혼가정인데 집에 뭔 일이 있었다더라."

담임은 에너지 음료와 커피 향 과자, 손바닥만 한 갑 티슈를 앞에 놓아주고 수업에 들어갔다. 도재도 그편이 좋았다. 위로나 상담 같은 걸 해봤자 서로 어색할 게 뻔하다. 이제 아무것도 모르는 사람들이 네 마음을 안다는 듯 말을 늘어놓는 것은 질색이었다. 도재에게 필요한 것은 머릿속을 더듬어볼 시간이다.

할아버지는 정다운 사람은 아니었다. 오히려 윤도재라는 사람은 할아버지에게 아무런 의미도 없었다. 혈육의 정은커녕 도재는 마치 그 집에 새로 생긴 로봇청소기 같았다. 로봇청소기와 다른 점이라곤 가끔 스스로 생각해서 움직일 수 있다는 것 정도. 그러니까 이건 인간과 무생물의 차이였지 도재라는 존재의 특별함과는 거리가 멀었다. 할아버지는 아침 일찍 일어나 혼자 아침을 먹고 어디론가 나갔다. 관상어 매장 같은 곳에 가서 시간을 보내는 듯했다. 이것은 지금까지도 도재의 추측에 불과하다. 할아버지가 돌아오면 수족관에 못 보던 괴석이나 난쟁이 조각상 같은 게 생겨나 있었기 때문이다. 도재는 냉장고를 뒤져 달걀 프라이와 식은 밥, 김치를 먹었다. 달걀 프라이를 할 때마다 팬에서 기름이 튀어 올랐다. 탁탁 튀는 소리에 매번 신경이 곤두섰다. 도재는 고민 끝에 달걀이 적당히 익었다 싶으면 가스 불을 확 꺼버렸다. 분명 기름에 데이지 않는 다른 방법이 있을 것이다. 그러나 어떻게 해야 아프지 않은지는 몰랐다.

도재는 교복 조끼를 머리 위로 뒤집어쓰며 흐물흐물한 것을 그릇으로 옮겼다. 덜 익어 투명하고 물컹한 것을 먹었다. 입에 들고 나가는 것이 이런 것이어도 되나. 의문이 들었다. 짓이기지 않아도 되는 것. 훌렁 삼켜버려도 무관한 것, 의미 없이 미지근하고 물컹한 것. 그런 건 이제 지겹다. 더 딱딱한 것이 필요하다. 이가 들어가지 않을 정도로 단단한 것. 침으로 천천히 녹여 먹어야 하는 것. 오래 씹고 되새겨 고이고이 간직할 만한 것. 사람이 먹고 뱉어야 하는 것은 응당 그런 것이어야 하지 않을까. 도재는 수족관 자동 급식기 뚜껑을 열고 빨간 모래 같은 사료를 한 꼬집 쥐었다. 그걸 물 위에 뿌리자 때이른 밥에 열대어들이 우루루 몰려들었다.

"밥 먹어. 맛있게 먹어."

아쉽게도 의미 있는 말이라고 해봐야 이런 말밖에 떠오르지 않았다. 도재는 매일 아침 학교에 갈 때, 집에 왔을 때 자동 급식기 뚜껑을 열고 물 위에 사료를 뿌렸다. 열대어들에게 정해진 식사량이 있다는 건 몰랐다. 그저 상대가 필요했을 뿐이다. 도재의 입장이라는 게 있을 거라고는 생각도 하지 않았을 엄마아빠는 담임에게 별거 사실을 전달했다. 나더러 어쩌라고? 중학교 담임의 표정에는 그런 말이 쓰여있었고 도재도 어깨를 으쓱했다. 나도 모르지. 다만 이후에는 도재의 모든 불성실과 무기력한 학습 태도, 하다못해 팔오금과 무릎의 욱신거리는 성장통도 부모님의 이혼이라는 말로 타협할 수 있었다. 그러고 나니 정말로 누구에게도 유별나지 않은 존재가 되고 말았다. 도재는 밤마다 시큰한 팔다리를 주무르고 쥐어짜이듯 아픈 배를 꾹꾹 눌렀다. 일주일 정도 이어진 수족관에 몰래 밥 주는 일을 할아버지에게 들킨 것은 그때쯤이었다.

셔츠 단추를 마저 채우고 한 손으로 노란 급식기 뚜껑을 열던 때였다. 도재는 갑작스레 터진 호통에 화들짝 놀라 급식기를 내리치고 말았다.

"거기서 뭐하냐!"

"아!"

문간에 여름 바지와 카라 티셔츠를 입은 할아버지가 있었다. 도재가 있는 힘껏 내리친 급식기가 수족관 안에 빠져 물 위에 둥둥 떠 있었다. 사료가 수족관 안에 쏟아졌고 물속에 퍼지는 새빨간 사료 때문인지 눈앞이 어질어질했다. 할아버지가 다시 한번 소리를 질렀다.

"왜 함부로 손을 대!"

도재는 고개를 푹 숙이고 떨었다. 순식간에 진땀이 나고 머리가 불덩이처럼 뜨거워졌다.

"저, 그냥. 저는, 밥. 궁금해서, 같이 먹으면 좋을 것 같아서."

"누가 너한테 물고기 밥 주라더냐? 어?"

화난 얼굴과 목소리를 마주할 바에는 죽는 게 낫다. 도재는 필사적으로 다리에 힘을 주고 다른 쪽을 바라보았다. 왼쪽에는 잔뜩 굳은 할아버지 얼굴, 오른쪽에는 열린 마루 문으로 들이치는 햇빛이 있었다. 어떻게든 오른쪽에 눈길을 주어도 왼쪽의 주름진 이마와 매부리코, 눈썹 같은 게 가슴에 화살처럼 박혔다. 조금만 움직여도 금세 땀이 나는 초여름이었다. 진땀으로 온몸이 흥건하게 젖은 도재는 할아버지의 호통을 못 들은 척하려 애쓰다 천천히 바닥에 무릎을 꿇었다. 절로 토악질이 났다. 입에서 으깨진 밥알과 고춧가루와 섞인 달걀, 배추찌꺼기 같은 게 마구 쏟아져 내렸다. 위장이 쥐어짜이는 감각과 식도를 역류하는 음식물에 의지와 상관없이 눈물이 떨어졌다. 규칙도 없이 꼬이는 내장에 도재는 비틀거리며 완전히 앞으로 넘어갔다. 여기서도 틀렸어. 다 글러 먹었어. 그런 생각을 하면서.

눈을 떴을 때는 병원이었다. 교복 셔츠는 온데간데없고 반소매 티셔츠와 환자복 바지를 입은 채 응급실 침대에 누워있었다. 옆에는 할아버지가 있었다. 하얀 러닝만 입은 할아버지가 도재의 둥그런 무릎뼈를 따라 오금과 다리를 꾹꾹 눌러주고 있었다. 스트레스와 위염으로 인한 급성 위경련이었다. 도재가 먹은 것을 게워 내며 바닥에 쓰러지자, 할아버지가 도재를 둘러업고 택시를 타고 가까운 대형병원에 달려온 것이다. 도재는 교복셔츠와 할아버지의 푸른 카라 티셔츠, 그리고 택시 바닥에 노란 위액을 뱉어내고 땀을 실컷 흘렸다. 할아버지는 교복 셔츠를 벗기고 본인 옷을 벗어 도재의 코와 입을 훔쳐준 다음 택시 전화번호를 받아냈다. 러닝셔츠 바람으로 병원을 내달리고 응급 수속을 밟은 뒤에는 장승처럼 앉아 침대 옆을 지켰다. 보진 못했어도 분명 우스운 꼴이었을 것이다.

사람이 분주하게 오고 가는 응급실은 소란스러웠다. 오로지 도재와 할아버지만 침묵이었다. 할아버지는 무릎이 드러나게 걷어 올렸던 도재의 바지를 내려주었다. 그러고는 물을 따라둔 지 오래돼 우그러진 종이컵을 도재에게 내밀었다. 눈앞도 종이컵처럼 흐물거렸다. 할아버지는 토사물이 묻은 티셔츠를 비닐봉지에 넣고 도재의 손을 잡았다. 도재를 데리고 나가 병원 근처의 프랜차이즈 죽 전문점에 갔다. 도재는 죽 그릇을 매만졌다. 뜨끈하고 딱 좋은 온도였다. 하얀 새알심이 떠 있는 죽이다. 꼭꼭 씹어 삼켜야 하는 따뜻한 것. 뱃속에 오래오래 남을 것이 눈앞에 있었다. 입술이 바르르 떨렸다. 도재는 할아버지의 러닝셔츠가 찢어져라 잡아당겼다. 할아버지는 도재의 손을 밀어내지 않았다. 가슴과 배가 아프다는 이유로 울어도 되는 나이라 다행이었다.

그런 날도 있었다. 도재는 훌쩍 긴 다리와 운동화를 내려다보다 교무실 소파에서 일어났다. 때맞춰 쉬는 시간을 알리는 종이 쳤다. 도재는 테이블에 놓인 과자와 에너지 음료를 쥐고 교실로 돌아갔다. 교실 안에 있던 아이들이 도재를 불렀지만 도재는 책상 고리에 걸어두었던 가방만 챙긴 채 다시 교무실로 향했다. 막 교재와 문제집을 자리에 내려놓던 담임이 황망한 얼굴로 도재를 바라보았다.

"왜 다시 오냐."

"저 조퇴하려고요."

"너 힘든 거 알겠는데, 조부모상으로 인정되는 유고 결석은 사흘이 전부라니까."

"그거 말고요. 저 체대 입시하잖아요. 학원 가요."

"진짜냐?"

도재는 고개를 끄덕였다. 믿음직한 얼굴로 보일 필요가 있었다. 담임은 안경을 치켜올리고 긴가민가한 얼굴로 턱짓했다. 가보란 뜻이다. 도재는 가방을 오른쪽 어깨에 둘러멘 채 교무실을 나왔다. 지갑을 꺼내 들고 복도로 향하는 아이들을 거슬러 계단으로 향했다.

304번 버스에는 사람이 별로 없었다. 도재는 가방을 무릎 위에 얹고 휴대폰으로 지도 앱을 몇 번이나 확인했다. 목적지란에 적힌 관상어 판매점의 이름은 생경하지만, 글자 자체는 낯익은 데가 있었다. 할아버지의 물고기를 수거해간 업체가 운영하는 오프라인 매장이었다. 정재가 잠자리 집으로 쓰던 채집통에서 물이 출렁거리는 소리가 났다. 앞에 손잡이를 잡고 선 중년 여자가 이상한 눈으로 도재를 바라보았다. 도재는 모른 척 창밖을 바라보았다가, 숨구멍이 뚫린 뚜껑으로 물이 새어 나올까 싶어 팔로 뚜껑을 감쌌다. 채집통에는 빨간 구피가 돌아다니고 있었다. 영문도 모른 채 좁은 채집통에 들어가 답답하고 초조할 것이다. 산소통도 여과기도 없는 통에서 괜찮을지 잠시 고민했지만 길어봤자 몇 시간일 테니 구피의 답답함은 모른 척하기로 했다. 함께 갈 누군가가 필요했다. 버스가 모퉁이를 돌아 대로를 달리기 시작하고 다음 정류장을 알리는 안내음이 나왔다. 도재는 긴 메신

저백 끈을 목에 걸고 왼손으로 채집통을 단단히 쥔 후 하차 벨을 눌렀다. 교통카드를 찍고 내리자 바로 주차장과 대형 멀티플렉스 건물이 나왔다. 목에 사원증을 건 직장인들과 유모차를 붙잡고 걸어가는 아이들, 젊은 커플들이 줄줄이 에스컬레이터를 타고 위층으로 올라가는 동안 도재는 옆구리에 파란 뚜껑의 어린이 채집통을 끼고 지하 1층으로 내려갔다.

지하 1층에는 관상어 판매점과 아쿠아리움이 붙어 있었다. 할아버지의 물고기가 있을 바로 그곳이었다. 물고기를 사려는 사람이든 아쿠아리움을 보러 온 사람이든 모두 입장표를 구매해야 했다. 도재는 청소년 요금을 계산하고 상어 그림이 그려진 표를 받았다. 신난 어린아이 둘이 휘두르는 팔을 피해 입구로 들어갔다. 입구에서부터 물 냄새와 소독약, 습기를 머금은 동굴 같은 냄새가 났다.

긴 터널처럼 생긴 아쿠아리움에 들어간 도재는 복도를 느리게 걸었다. 평일에다 점심시간이 막 지나 한산할 줄 알았지만, 의외로 사람이 꽤 많았다. 물이 가득 차 출렁거리는 채집통을 아쿠아리움 한복판에 엎어버리지 않으려면 천천히 걷는 수밖에 없었다. 조끼에 교복 재킷까지 걸쳤는데도 지하가 서늘한 탓인지 몸이 살짝 떨렸다. 팔짱을 낀 커플들과 이제 막 걸음을 떼기 시작한 아기들이 수조를 두드리고 부모들은 사진을 찍었다. 도재는 현장 체험학습을 온 듯한 교복 무리가 수조를 떠난 자리에 다가가 가오리를 구경했다. 그러나 도재가 어렴풋이 기대했던 감동이나 애틋함 같은 건 느껴지지 않았다. 채집통을 가슴께까지 들어 올려 구피에게도 커다란 가오리를 보여주었다.

둘 중 아쿠아리움과 더 연이 없는 쪽을 고르라면 단연 구피일 테지만, 간혹 사람은 가본 적 없는 곳에 대한 그리움을 느낀댔다. 구피도 그럴 수 있을까? 판매용 분리 수조에서 태어나 평생 어항에서 살아왔을 구피에게도 겪은 적 없는 물에 대한 그리움이 있을까? 구피의 얼굴을 자세히 살폈으나 구피는 입을 뻐끔거릴 뿐이었다. 도재는 갑자기 팔다리에 힘이 쭉 빠지는 것을 느꼈다. 결국 누구의 마음도 어루만질 수 없는 곳이었다. 무거운 채집통이 흔들리지 않게 하느라 잔뜩 힘을 주고 조심조심 걸었던 것이 우습다. 계속해서 다른 물고기들을 보여주던 아쿠아리움이 어느새 끝나버렸다. 남은 건 물고기에 잔뜩 홀린 아이들과 부모들을 위한 기념품점, 그리고 열대어와 어항 용품을 파는 창고형 매장뿐이다.

도재는 출구에 허무하게 멈춰 섰다. 밝고 요란한 음악이 울려퍼지는 기념품점이나 서늘한 창고 매장으로 이어지는 길밖에 남지 않았다. 팔이 아팠고 얇은 교복 바지에 다리가 으슬으슬 시렸다. 도재는 출구에서 조금 떨어진 아쿠아리움의 안쪽으로 다시 걸어갔다. 빙하를 흉내 내 만든 딱딱한 의자에 걸터앉아 허공을 바라보았다. 비린 냄새가 났다.

"어, 그 수족관 있던 집 학생이지? 양정동."

도재는 고개를 번쩍 들었다. 아쿠아리움 직원용 조끼에 배지를 단 남자는 전혀 낯익은 구석이 없었다. 도재는 아무런 대답 없이 남자를 살폈다. 체크무늬 셔츠를 입은 배가 둥그렇게 나오고 웃는 눈가에 주름이 진 50대 남자는 아쿠아리움보단 낚시터에 더 어울릴 듯했다. 도재가 자신을 알아보지 못한다는 걸 눈치챘는지 남자는 머쓱한 표정으로 머리 위의 캡모자와 도재가 든 구피를 번갈아 가리켰다. 도재는 그 손짓을 따라 구피와 캡모자를 번갈아 보다 눈을 크게 떴다. 구피. 구피를 꺼내주었던 캡모자다. 남자는 할아버지의 집에서와는 사뭇 다른 인상이었다. 그때는 마치 물고기를 모조리 건져 아무도 모르는 심연에 던져버릴 것 같은 얼굴이었는데, 막상 어둑하고 물비린내 나는 이곳에서 남자는 기쁘고 즐거워 보였다.

"내가 기억력이 좋아. 여기 양정동에서 꽤 먼데. 물고기 보러 왔나?"

"네."

"구피도 데리고? 낭만적인데."

남자는 아무런 말도 없이 다가와 대뜸 의자에 엉덩이를 들이밀었다. 도재는 얼떨결에 자리를 내주고 떨떠름한 얼굴로 남자를 바라보았다. 남자는 무릎을 통통 두드리며 말을 이었다.

"그 수족관이 자꾸 생각이 나더라고. 학생이 키우던 거였나?"

"아니요, 할아버지 거였는데 돌아가셔서."

"그래서 정리했구만. 구피는 왜 안 보냈어?"

"아쉬워서요."

남자가 턱짓으로 구피를 가리켰다. 도재는 중얼거리듯 대답했다.

"그 수족관 말이야, 아주 관리가 잘 된 거였어. 내가 여기서 일한지 벌써 13년째야. 관상어 수거하러 얼마나 많이 가봤겠어? 개중에 보기 드물게 상태가 좋았어. 이끼도 없고, 배가 부푼 물고기도 없고."

"네."

"척 보면 알지. 주인이 얼마나 아꼈을지."

그랬을 것이다. 도재는 언제든 마른 수건으로 유리를 문지르는 할아버지의 모습을 떠올릴 수 있다. 수족관의 물을 바꾸려 무거운 목재 지붕을 들어 올리고 여과기와 정화 필터를 건져내는 손길은 경건했다. 할아버지는 원래도 부산스러운 사람은 아니었지만, 수족관을 만지는 할아버지에게서는 마치 의식을 치르는 듯한 엄숙함과 절제가 느껴졌다. 거실에 앉아 그 광경을 지켜볼 때 도재는 꼭 세상의 비밀을 엿보는 기분이었다. 할아버지는 대단한 사람이었다. 도재를 제외하고 세상에 누군가 한 명쯤은 그 사실을 알아야 했다. 잠시 침묵하던 남자가 입을 열었다.

"나는 물고기를 좋아해. 물고기 키우는 사람들도 좋아해. 물고기 키우는 사람들이 얼마나 고고한지 알아? 이건 강아지나 고양이하고는 달라. 식물하고도 다르지."

도재는 남자를 흘끔 쳐다보았다. 남자도 때마침 도재를 향해 고개를 돌렸다. 눈가에 주름이 진 남자는 놀랍도록 따뜻하고 짓궂어 보였다.

"물고기는 정면만 보고 헤엄치지. 근데 정작 생긴 걸 보면 납작하고 눈도 옆에 달려서는, 아주 못나. 우리가 보는 건 물고기의 옆모습이야. 근데 물고기는 세상에 옆면이라는 게 있다는 걸 몰라. 무슨 소리인 줄 알아? 사람도 마찬가지야. 다들 눈앞에 보이는 게 전부인 줄 알지. 그런데 세상에는 옆면이라는 게 있단 말이야. 어항 속 물고기는 몰라도 우리한테는 x 축, y축 말고 또 다른 축이 있다는 거지. 학생도 산수 시간에 배웠을 거야. 세상은 3차원이야. 수족관은 3차원의 세상을 증명해 준다고."

남자는 멈추지 않고 말을 이었다. 도재는 꼼짝도 하지 않고 그 이야기를 들었다.

"우리 물고기 키우는 사람들은 말이지, 매일매일 그걸 가슴 깊이 새기면서 살아. 세상을 다 아는 것 같아도 어딘가에는 내가 영영 알지 못할 다른 방향이 있다고. 이 나이를 먹고도 가끔은 세상이 참으로 신비롭지."

"예."

"학생도 이제 물고기를 키우니까 알려주는 거야."

희부연 통에서 새빨간 구피를 구해주던 캡모자의 얼굴이 그제야 눈앞의 주름진 얼굴과 합쳐졌다. 대단한 세상의 비밀이라도 알려준 양 뿌듯해하는 남자에게서도 물 냄새가 났다. 도재는 다시 손안의 구피를 내려다보았다. 할아버지는 무엇을 봤을까? 꿋꿋하게 수족관 앞에 앉아서, 물속에서 꽃처럼 펴지는 지느러미를 바라보는 할아버지의 모습이 떠오른다. 더없이 익숙한 광경이다.

도재는 말없이 헤엄치는 구피를 바라보았다. 남자는 연신 무릎을 두드리고 하품을 몇 번 하면서도 자리에서 일어나지 않았다. 한참이 지나고 아쿠아리움의 폐장 시간을 알리는 안내방송이 나왔다. 남자가 도재의 어깨를 두드리며 일어섰다.

"이제 가 봐. 조심히 돌아가. 아까부터 학생 휴대폰이 계속 울리더

구만."

도재는 일어나 고개를 푹 숙여 인사했다. 어느새 아쿠아리움은 텅 비어 있었다. 도재는 그제서야 몸을 일으켜 기념품점에 들어갔다. 매대를 정리하는 직원에게 목례하고 마침내 멀티플렉스 건물을 나왔을 때는 이미 저녁이었다. 날씨가 풀린 계절이래도 하늘이 어두워진 후에는 쌀쌀한 바람이 불었다. 그럼에도 마음은 한결 가벼웠다. 물이 출렁거리는 잠자리 채집통을 끼고도 발걸음이 점점 빨라졌다. 도재는 가방을 고쳐 매고 가장 편안한 자세로 채집통을 들었다. 바람을 맞으며 텅텅 빈 주차장을 통과하려던 찰나 도재는 교복 재킷 주머니에서 울리는 진동을 느꼈다. 주차장 아스팔트 도로에 박힌 안내 기둥에 통을 잠시 기대어 놓고 도재는 휴대폰을 끄집어냈다. 부재중 전화와 문자, 카톡이 쏟아지고 있었다. 때마침 액정에 아빠의 이름이 떴다. 도재는 이름 석 자로 저장해둔 아빠가 휴대폰 화면에서 반짝이는 것을 지켜보다 전화를 받았다.

"너 인마, 지금 어디야! 담임이 전화 와서는, 네가 무슨 학원 핑계를 대고 뛰쳐나갔다는데 이놈 자식은 연락도 없고 지금 엄마랑 경찰서에서 실종 신고 내려고 했다, 인마…."

아빠의 고함이 터졌다. 도재는 픽 터지는 웃음을 삼켰다.

도재도 모르게 벌어졌던 가출소동은 싱겁게 끝났다. 다행히 집에 돌아올 때는 흔들리는 버스 좌석에 앉아 양팔로 채집통을 사수할 필요가 없었다. 도재는 데리러 온 아빠 차 뒷좌석에 앉아 창밖을 바라보며 편안히 돌아왔다. 먼저 하루 종일 좁은 통에서 괴로웠을 구피를 어항으로 옮겼다. 그러고는 기절하듯 잠에 빠져들었다가, 이른 아침이 되자마자 양정동의 할아버지 집으로 왔다.

얼마 전까지 누군가 머물던 곳이건만 어느새 집안은 사람의 발길이 끊겨 쓸쓸한 분위기가 물씬 풍겼다. 마당의 풀이 낯설도록 우거지고 책장이나 옷장, 협탁 위에도 뽀얗게 먼지가 내려앉았다. 그럼에도 도재는 신발을 벗고 맨발로 마룻바닥을 밟았다. 하얀 양말이 금세 회색으로 변했지만 꺼림칙하거나 불편한 마음은 들지 않았다. 마땅히 그래야 했던 것처럼 느껴졌다. 도재는 수족관이 사라져 허전해진 거실의 왼편에 있는 커다란 서랍장으로 다가갔다. 수족관을 치우면서 남은 수조 용품들을 다른 서랍장에 대강 옮겨두었다. 도재는 오른쪽 아래 서랍에 넣어둔 기와를 끄집어냈다. 하얀 광목천이 조금 흐트러진 것을 제외하곤 처음 발견했을 때와 다른 것이 없었다.

이 집에서 반년을 살았다. 어느 날 아빠가 예고 없이 도재를 데리러 가겠단 얘기를 하기 전까지는 막연히 평생 이곳에 있을 줄 알았다. 누군가는 그것을 책임감이라고 부를 테지만 도재는 그러고 싶지 않았다. 전화를 끊고 한동안 말이 없던 할아버지는 수학 문제를 풀던 도재를 데리고 밖에 나왔다. 버스를 한 번 갈아타고 택시를 타고 또 달려 도재와 할아버지는 어느 절에 갔다. 방문객이 적고 일주문 단청의 색이 바랜, 오래된 절이었다. 커다란 사천왕을 지나 숲길을 조금 걸어 마당에 다다르자, 탑과 대웅전이 보였다. 아주머니 몇몇이 탑을 돌고 대웅전 댓돌에는 신발이 여럿 있었다. 할아버지는 곧장 대웅전을 지나쳐 구석진 돌계단 앞 사무실에 다가갔다. 앞에는 소원을 적는 기와가 층층이 쌓여 있었다. 간혹 공양미를 사는 사람도 있었지만 할아버지는 공양미와 양초에는 눈길도 주지 않고 기와 두 장을 샀다. 도재는 잠시 고민하다 옆에 놓인 흰 마카를 집어 들고 기와에 지느러미가 팔랑거리는 물고기를 그렸다. 그러나 할아버지는 가만히 기와를 바라보기만 했다.

아쿠아리움에 다녀왔던 날 도재는 기왓장을 기억해 냈다. 할아버지가 광목천에 싸서 소중하게 보관해 왔던 것. 그제야 도재는 할아버지의 마지막을 보지 못한 것이 아쉬워졌다. 할아버지의 사인은 노화였다. 마땅하고 타당한 자연의 섭리였다. 그러나 도재의 생각은 달랐다. 할아버지는 고작 그런 것에 고꾸라질 사람이 아니었다. 할아버지는 세상의 다른 방향을 볼 줄 아는 사람이었다.

도재는 기와를 들고 돌담 안 마당을 둘러보았다. 할아버지는 원래도 마당을 깨끗하게 가꾸는 성격은 아니었다. 마당 구석에는 쓸모없는 고무 대야나 호스, 작은 돌탑 같은 것이 있었다. 그 위로 들풀과 이끼가 자라나고 민들레와 이름을 알 수 없는 꽃들이 피어있었다. 도재는 돌벽에 기와를 세워두고 땅을 파기 시작했다. 기대와 기와는 잘 어울리는 한 쌍이다. 소원이 이루어지기를 간절히 기다리며 기와에 글을 썼을 사람들을 생각한다. 누가 언제, 가장 먼저 기와에 글을 쓰기 시작했을까? 여기다 소원을 처음 적기로 한 사람은 누구였을까? 기왓장에 흰 마카로 소원을 새기기로 한 사람. 분명 물고기를 키우는 사람이었을 것이다. 세상의 다른 축을 보기로 마음먹었던 것처럼, 지붕에

엎힌 기와를 위에서 내려다보기로 한, 꼿꼿하고 이상한 사람.

도재는 모종삽으로 땅을 파냈다. 잡초가 뿌리째 들리며 땅이 껍질처럼 벗겨졌다. 기와의 면적을 대강 가늠하며 머리가 뜨거워지도록 땅을 팠다. 아침 일찍 시작한 일은 오후가 되도록 끝나지 않았다. 파면 팔수록 조금 더, 조금만 더 하는 생각에 도재는 쪼그려앉기를 그만두고 흙 위에 풀썩 앉아버렸다. 이름 모를 벌레가 계속해서 나왔다. 처음에는 조심스럽게 치우다 슬슬 적응이 되고는 삽으로 푹 떠서 저쪽에 던져버렸다.

이 정도면 되겠다, 싶어 휴대폰 화면을 보았을 때는 오후 5시가 되어있었다. 도재가 입은 반팔티가 땀으로 젖어 달라붙었다. 도재는 몸을 일으키려다 눈앞이 핑 돌아 잠시 눈을 감고 몇 초를 셌다. 그러고 나서 옆에 세워둔 기와를 파낸 구덩이에 눕혔다. 어림짐작으로 파낸 모양이 기와의 크기와 딱 맞았다. 도재는 다시 눈을 감고 입술을 달싹였다. 무슨 말을 하고 싶기도 했고 아무런 말도 하지 않은 채 아무렇지 않게 넘기고 싶기도 했다. 이곳에 남기는 모든 말에 의미가 있다. 동시에 어떤 말도 무의미하다. 도재는 꺼끌꺼끌한 기와 표면을 어루만졌다. 차갑고 습할 것 같았던 기와는 의외로 미지근한 온기가 있었다.

도재는 검푸른 기와 위에 흰 마카로 그려진 물고기를 상상한다. 지느러미가 꽃잎 같고 눈이 동그란 물고기의 옆모습. 할아버지의 소원은 이제 영영 알 길이 없으니 함부로 넘겨짚기로 했다. 기왓장 위에 물고기를 몇 번이나 덧그리며 도재는 한참을 보냈다.

구피는 또다시 채집통에 담겼다. 두 번째가 되니 물의 무게는 생각보다 견딜 만했다. 잎을 늘어트린 커다란 수양버들이 우수수 소리를 냈다. 도재는 채집통을 들고 작은 개천 위에 놓인 나무다리에 서있었다. 폐수 재활용 센터에서 주의 깊게 관리하는 개천은 원래 시냇물에 가까울 만큼 폭이 좁았지만, 주민 복지를 위해 확장 공사를 거치고 나서 꽤 넓어졌다. 마음에 드는 점이라면 개천에는 으레 풀어놓는 커다란 잉어 대신 작은 송사리 같은 것들만 이따금 보인다는 것이다. 도시 구조나 물의 순환 원리, 자연과학 같은 것을 잘 알지는 못해도 도재는 막연히 이 냇물이 멀고 먼 곳으로 흘러갈 것이라 여겼다. 평범한 사람은 볼 수도 닿을 수도 없는 곳까지, 그렇게 세상의 다른 축이 만들어낸 틈까지 흘러갈 것이다. 그런 이유에서 고른 장소였다. 도재는 원목 데크 울타리에 채집통을 올려놓고 땀이 옅게 배어난 이마를 훔쳤다.

세상에는 설명할 수 없어도 자연히 알게 되는 것들이 있다. 구피가 살아남기란 힘겨울 것이다. 이것이 어쩌면 무책임한 방목에 불과하다는 것도 알았다. 어떻게든 마음의 위안을 얻기 위해 멍청한 짓을 하는지도 몰랐다. 그럼에도 도재는 구피에 대한 염려보다는 마땅히 그래야만 한다는 마음에 휩싸였다.

도재는 채집통을 뒤집었다. 새빨간 열대어가 물 속으로 떨어졌다.

3번째 단편: 루루 한 입

"보나 쌤, 아까 수업 끝날 때 들었는데 윤주 회원님도 연장 어려우시대요."

이럴 수가. 물 마실 기분이 싹 가셨다. 보나는 분홍색 텀블러를 내려놓고 바로 사물함 앞에 웅크리고 앉아버렸다. 물론 거북목과 라운드 숄더는 용납할 수 없으니 금방 허리를 폈지만. 평소에는 질색하는 자세를 할 만큼 심리적 타격이 컸다. 평소 같으면 캐모마일 티 한 모금에 바로 심리적 안정을 되찾았을 거다. 그리곤 수련실 문 앞에 서서 터덜터덜 나오는 회원들에게 곧장 뿌듯하게 다음 수업 시간을 공지했을 것이다. 그런데 마지막 보루 같았던 회원님마저 수업 연장을 포기하겠다니. 이로써 에트나 요가원 황보나 강사의 월수금 오후, 저녁반은 전멸하고 말았다.

보나는 팔뚝만 한 폼롤러를 양 옆구리에 달고 터덜터덜 걸었다. 울퉁불퉁한 돌기형의 보라색 폼롤러를 두 개나 들고서 퇴근길 지하철에 타니 숨 막히게 밀착하는 사람들을 밀어내는 효과가 있었다. 앞으로 대략 일주일 정도는 이렇게 퇴근할 예정이다. 에코백에 간신히 밀어 넣은 것 하나, 옆구리에 낀 것 하나로는 택도 없다. 요가원에는 막 비닐을 벗겼지만 오늘부로 일자리를 잃은 폼롤러가 열두 개쯤 더 쌓여있었다. 새로운 수업 진행을 위해 야심 차게 준비한 물건이었다. 이럴 줄 알았으면 결제창에서 한 번만 더 고민을 해보는 건데. 원장은 뱅갈고무나무와 도자기 찻잔, 싱잉볼이 조화로운 우드톤 요가원에 연보라가 웬 말이냐며 떠안기를 거절했다. 지하철 개찰구부터 선선한 여름 밤바람이 불었지만, 마음을 달래기에는 부족했다. 미끄럼 방지 처리가 된 요가용 발등 양말을 양손에 낀 보나는 폼롤러를 단단히 잡고 빌라 단지 오르막길을 올라갔다.

201동부터 208동, 총 8개 빌라 주택으로 이루어진 몰리스빌 단지. 보나는 204동 201호에 살았다. 부엌과 화장실, 거실 겸 방으로 이루어진 원룸 빌라는 짧지 않은 자취 경력으로 보기에도 나쁘지 않았다. 건물의 공동현관에는 비밀번호도 있었고 복도를 돌아다니는 벌레도 드물었다. 계단과 복도의 센서 등도 잘 작동했고 세면대나 화장실 수압은 조금 과장해 목욕탕의 냉탕 폭포만큼이나 셌다. 자주 쓰진 않지만 세탁기도 있었고 이 시대 혼자 사는 스물여섯 살 여성이 필요한 것은 거의 다 갖춰져 있었다. 가장 큰 장점은 보나가 일하는 에트나 요가원과 겨우 지하철 40분 거리에 있었다는 점이다. 이 정도면 이십대 후반의 독신 가구치고 정말로 괜찮은 살림을 꾸리고 있다고 할 수 있었다. 그러니 매번 보나의 머리를 치는 건 언제 이 달동네에서 벗어

날 수 있을까가 아니었다.

보나는 한숨을 쉬며 현관문을 열었다. 아침에 싱크대에 밀어 넣은 햇반 껍데기와 반찬통, 빨래를 몰아서 하느라 건조대 자리가 부족해 소파와 침대 머리맡에 잔뜩 걸어둔 수건을 대강 치우면서 보나는 중얼거렸다.

"내 수업이 뭐 어떤데. 재밌기만 하면 된 거 아냐. 젊고 에너지 넘치고 얼마나 좋아."

"보나, 안녕."

보나는 비명을 꾹 참으며 수건을 움켜쥐었다. 긴 머리카락을 늘어트린 로사가 화장실 옆 통로에서 고개를 쑥 내밀었다. 사람은 익숙해져도 볼 때마다 심장이 떨어지는 광경이다. 로사는 화장실 슬리퍼를 신고 맥주캔을 들고 있었다. 보나는 손을 흔들어 로사에게 들어오라는 신호를 보냈다.

"나 요가원에서 잘렸어."

"완전히?"

"응. 딱 그런 말을 들은 건 아니지만 거의 그런 거나 다름없지. 그나마 남은 회원은 윤주 씨밖에 없었는데. 뭐라는지 알아? 다음다음 달에는 내 수업을 듣겠단 사람이, 무려 한 명도 없대. 진짜 말도 안 돼."

로사는 말없이 맥주를 홀짝였다.

"어떡해?"

"다음 달까지 잘해봐야지. 어떻게 생각해? 내가 좀 더 열심히, 빡세게 수업하면 강사 평가가 괜찮아지지 않을까?"

"그게 문제가 아닐지도?"

로사가 옆을 돌아보았지만 보나는 입을 다물었다. 신나게 이야기를 늘어놓으려다 실패한 게 무안해 헤어밴드를 고쳐 썼다. 로사와 집을 공유하다시피 한 것이 꽤 되었어도 로사와 보나는 태생적으로 맞지 않는 인물들이었다. 정로사는 옆집에 사는 동갑내기 여자였다. 원래 같으면 택배를 가지러 나오거나 음식물 쓰레기를 버릴 때 한 번 마주칠까 말까 하는 사이였을 테다.

보나가 조립식 책장을 새로 구매한 게 문제였다. 몰리스빌을 디자인한 회사에선 도대체 무슨 생각이었는지, 한 층에 집이 네 개나 있는 건물을 만들어놓고 두 집씩 베란다를 연결해 두었다. 화장실 문을 열고 나가면 있는 일자형 베란다는 사실 옆집과 연결된 통로였다는 소리다. 보나도, 한 달 뒤에 입주한 로사도 이 사실을 몰랐다. 보나는 어떻게 봐도 콘크리트는 아닌 얇은 임시 벽을 대강 두드려보곤 아무 생각 없이 넘어갔다. 다만 로사가 입주한 후 생활 소음이 신경 쓰여서, 그곳에 조립형 책장을 설치해 박스나 각종 청소용품을 놓아두기로 했다. 그리고 완성한 책장을 원하던 자리에 놓으려 끙끙대던 보나가 벽 쪽으로 넘어지면서 널빤지 같은 가벽이 힘없이 부서져 버렸다. 보나는 눈을 질끈 감고 책장에 매달려 썰매라도 탄 듯 옆집 베란다로 미끄러졌다. 화장실 휴지를 가지러 베란다로 나왔던 정로사는 비명을 질렀고 덩달아 놀란 보나도 소리를 질렀다. 그렇게 몰리스빌의 요상한 구조가 드러났고, 당장 보수공사를 진행하기엔 어렵다는 집주인 말에 어쩔 수 없이 뻥 뚫린 베란다를 갖게 되었다.

로사와 보나가 이만큼 가까워지게 된 것은 바로 그 베란다 덕분이었다. 로사의 고양이 루루가 야심한 밤을 틈타 보나의 집으로 넘어와서는, 보나가 재활용 쓰레기를 모아둔 상자를 내놓는 사이 자유를 찾아 열린 문으로 훌쩍 나가버린 것이다. 약간의 책임감을 느낀 탓에 보나는 얼떨결에 긴 머리카락을 커튼처럼 늘어트린 로사와 동네를 내달렸다. 로사와 보나는 동네 공원과 차 밑, 재활용 쓰레기통과 풀숲에 루루의 화장실 모래를 뿌려댔다. 난생처음으로 이곳저곳에 고양이 간식을 짜 놓고 수건을 펼쳐들고 고양이를 기다렸다.

루루가 이전 동네를 떠돌아다니던 유기묘였으며 몇년 전부터 로사의 유일한 가족이라는 사실을 그때 알았다. 로사가 대인기피증을 이기고 옆집 문을 두드릴 만큼 소중한 가족이라는 말에 보나는 가슴속에서 뜨끈한 것을 느꼈다. 저와 같은 사람은 먼발치에서도 알아본다고, 외로운 사람이 내뿜는 따뜻하고 뭉클한 애처로움이 보나의 허전한 가슴을 관통했다. 커다란 수건으로 루루를 포획하는 데 성공하고 보나는 자기도 모르게 로사를 끌어안았다. 그 짧은 시간에 동지애가 생겼는지도 몰랐다. 그리고 나서는 베란다 통로가 마음에 들었던 루루가 종종 보나의 집으로 넘어오면서 둘 역시 자연스럽게 저녁 시간을 함께하는 날이 잦아졌다. 대화 주제는 주로 보나의 일 얘기였고 종종 루루가 모래 변기를 엎어버린 사건에 관해 이야기할 때도 있었다. 드물게 인터넷 쇼핑몰 편집자로 일하는 로사가 일 이야기를 꺼내는 날도 있었지만, 오늘의 주제는 단연 보나의 요가원 수업 전멸 사태였다.

"또 왕따당하는 것 같아."

생각도 하기 싫은 단어지만 기분이 그랬다. 로사는 고개를 끄덕였다. 왕따. 보나는 감자칩을 한 주먹 입에 털어 넣으며 다시 한번 머릿속으로 단어를 되새겼다. 황보나 인생에 가장 큰 영향을 미친 사건이라면 중학교 3학년 시절 겪었던 따돌림이 첫 번째다. 사소했던 시작은 이제 기억도 잘 나지 않지만, 심장이 내려앉는 기분만은 잊을 수 없다. 무늬를 착각해 짝짝이로 신은 양말 때문에 수군거리는 소리를 들었을 때의 기분. 배구 수행평가 만점을 받으려 고의로 상대 얼굴에 공을 던졌단 오해를 받았던 적도 있었다. 뒤통수에 날아드는 쌀알 같은 종이 뭉치의 느낌. 보나는 황급히 맥주를 집어 들었다. 어쨌거나 지난 일인데. 스물여섯이나 먹고도 이런 것 하나에 가슴이 쿵 떨어지는 것을 보면 어른이 되기엔 아직도 멀었다.

"왜 맨날 이렇게 되나 몰라."

"짚이는 게 하나도 없어?"

"아니, 뭐. 따지자면 이것도 저것도 다 기분 상하는 이유가 될 수 있지. 근데 나는 진짜 정말로, 언제나 최선을 다했단 말이야. 절대 소홀한 적 없어. 그런데도 왜 매번, 매번 이렇게 되냐고."

보나는 무릎에 얼굴을 푹 묻었다. 두껍게 바른 슬리핑 팩에 뒤늦게 생각이 미쳤지만 이미 잠옷 바지에 엉겨 붙었을 테니 포기하기로 했다. 로사가 천천히 등을 토닥였다. 보나는 위로를 받았지만 그렇다고 마음이 편해지지는 않았다. 보나가 술에 취해 어렵게 왕따 이야기를 꺼냈던 날 로사는 눈을 동그랗게 뜨고 자기 가슴팍을 가리켰다. 본인 역시 고등학교 1학년 때 따돌림을 겪고 1년을 버티다 학교를 자퇴했단다. 지금 생각해 보니 그렇게 놀라운 이야기는 아니었다. 로사는 사랑스럽지만, 호감을 사는 캐릭터는 아니었다.

보나 역시 우중충한 사건 때문에 이 나이 먹도록 사람이 어려워 우정도 연애도 다 비슷하게 실패했다. 그러니까 도대체 왜냐고. 이유라도 말해달라고. 혼자 눈물 콧물 짰던 날들도 있었지만 결국 성숙한 어른으로 거듭나려면 의연하게 넘길 줄 알아야 한다는 생각이 들었다. 그렇게 열정맨으로 살아오던 것도 잠시. 같은 아픔을 가진 사람을, 그것도 베란다가 뚫려 만나게 된 옆집의 동갑내기로 마주친 건 꼭 로맨스 코미디 소설의 한 장면 같았다.

"원래 나 자신을 객관적으로 판단하긴 힘들어. 다른 사람은 거울처럼 보여도 정작 스스로는 못 보는 거야. 그렇게 되려면 일기 같은 게 좋다던데. 자아 성찰 뭐 그런 거?"

보나는 얼굴을 푹 숙인 채 입술을 비죽였다. 로사는 가끔 고된 수련 끝에 진리를 깨달은 양 아는 척을 했다. 정작 그러는 본인도 여태 사람 마주하기가 어려워 끙끙대면서. 남들은 신나게 놀러 다닐 학창 시절을 각종 영상매체나 보며 때우다 보니 어느새 전문가가 됐다고 했다. 메일로 인터넷 홈페이지 제작 외주를 받고 다양한 의류 쇼핑몰 홈페이지를 디자인 및 편집하는 것으로 본인과 루루의 생활비를 충당한단 소리에 보나는 양 엄지를 치켜들었다. 그리고 속으로는 조금, 오묘한 기분에 휩싸였다.

그거 그냥 외면 아닌가? 사람이라면 역시 자신의 한계에 계속 도전

하며 살아야 하지 않나? 로사는 종종 뭐든 아는 것처럼 말하지만, 그게 자신에게도 적용되는 건 아니었다. 벽을 앞에 두고 가만히 앉아 있는 사람이나 다름없었다. 최소한 명상과 호흡으로 매일매일 단련하고 벽에 들이박기라도 하는 보나와는 달랐다. 평가하고 싶진 않지만, 아무리 생각해도 자기계발서에 널린 조언을 던지는 것보단 이렇게 현실적으로 괴로워하는 게 훨씬 값져 보였다. 진취적이고. 보나는 속으로 중얼거렸다. 연보라 폼롤러 같은 녀석. 아주 환상의 짝꿍이 될 줄 알았더니 그렇지만도 않았다. 단단한 척하면서 속은 작은 손톱에도 찢기는 스펀지가 따로 없다.

보나는 카운터에 앉아 노트북을 두드리다 한숨을 푹 내쉬었다. 어쨌거나 보나에게는 아직 다음 달 수업이란 과제가 남아있었고 어젯밤 소주와 맥주의 콜라보로 머리가 깨지든 말든 커리큘럼은 제출해야 했다. 강사 계정으로 관리하는 SNS를 들어가 봐도 좋아요 개수가 나날이 줄어드는 것만 가슴에 쿡쿡 박혔다. 수업 사진이 꽉꽉 들어찬 피드는 여태껏 보나의 자랑이었지만 이제는 지나간 영광이 될 예정이라 심란하기만 했다. 책이 너덜너덜해지도록 공부한 요가 이론에서는 이런 상태를 끄쉽따라고 부르는데, 산스크리트어로 세속적 감각에 흔들린다는 뜻이었다. 다섯가지 정신적 삶의 단계 중 기초, 바닥의 단계. 지금껏 노력해 온 모든 게 말짱 도루묵이 된 기분이다.

"우울하다, 우울해."

빰이 붉고 땀을 비 오듯 흘리는 회원들을 볼 때면 보나는 뿌듯한 마음에 속으로 손뼉을 쳤다. 요가의 기본인 깊은 호흡을 모조리 잊어버릴 만큼 몰입하고 있다고 생각하니 꼭 보답받은 것처럼 흐뭇하고 기뻐져서 그다음에는 더 어려운 동작을 부르곤 했다. 아쉬탕가 요가의 첫걸음 기초반을 맡아 눈을 반짝반짝 빛내는 보석 같은 초보자를 찾아내는 것이 보나의 즐거움이었다. 시간이 지날수록 보나의 눈을 피해 다들 등록취소를 하는 건 도대체 왜인지 모를 일이었지만.

보나는 시무룩하게 자판을 눌렀다. 엑셀 파일에 기역과 니은이 의미 없이 늘어졌다. 오전 수업 대타를 마치고 카운터를 담당하는 날이었다. 평소 같으면 신나게 요가 비디오를 틀어놓고 수업 루틴을 짰겠지만, 오늘은 정말로 의욕이 없었다. 배 속이 부글거리고 입안에선 자꾸 침이 말랐다. 아무리 울적하다고 해도 다음 날 수업을 앞두고 소주를 깐 것이 실수였다. 보나는 노트북 위로 엎드리고 말았다. 그때 휴대폰이 울렸다. 로사였다.

"루루가 없어졌어!"

이건 또 무슨 소리람. 보나는 몸을 웅크린 채 대꾸했다.

"나 아침에 문 잠그고 출근했어."

"그게 아냐. 베란다 창문으로 나갔나 봐! 위에서 보니까 가스 배관에 고양이 발자국이 있어!"

출근한 지 세 시간째에도 여전히 술기운에 몽롱했던 머리가 느리게 상황을 파악하기 시작했다. 보나의 입이 점점 벌어졌다.

"아니, 잠깐만. 루루가 사라졌다고?"

"보나야, 어떡해. 루루가 나갔어…."

목소리에 울먹임이 묻어나기 시작했다. 보나는 질끈 당겨 묶은 머리를 박박 헤집었다. 가끔 말을 날카롭게 하긴 해도 로사는 마음이 여렸다. 함께 루루를 찾고 난 후 베란다 구멍으로 조용히 과자를 건네던 모습만 봐도 그랬다. 과자를 들고 온 로사는 루루를 처음 만난 날에 관해 이야기해주었다. 학교를 자퇴하고 평생 혼자 살리라 굳게 다짐했어도 속이 쓰린 날이 오기 마련이다. 비가 요란하게 쏟아져 처량하던 날 주차장 구석에 쭈그려 앉아 담배를 꺼내 물던 로사에게 운명처럼 한 고양이가 다가와 머리를 비볐다고 했다. 눈이 동그랗고 노란 솜털이 삐죽삐죽 선 고양이가 로사의 다리에 머리를 쿡 박았다. 로사가 찬 손으로 저를 안아 드는데도 반항 한 번 하지 않았단다. 고양이 집사들 사이에선 이걸 간택이라고 부른다며 로사는 행복해했다. 그날로 온라인 새벽 배송 리스트에 제 밥 대신 고양이 간식을 추가했다고.

그래서 이름이 루루가 되었다. 룰루랄라, 이 작고 말랑한 우주에 모든 기쁨과 행복이 담겨 온다나. 그러니까 정의하자면 루루는 로사의 삿뜨바인 것이다. 세상을 채우는 경쾌하고 발랄한 성질. 보나에게도 마찬가지였다. 말랑하고 흐물흐물한 고양이가 제 얼굴을 밟을 때 보나 역시 이 생물체를 사랑하게 되었다.

길고양이였던 루루는 아주 영리해 대강 보고도 주변 구조를 파악할 줄 알았다. 로사와 보나의 집은 2층이었지만 루루라면 건물 외벽에 튀어나온 가스 배관을 밟고 바닥으로 내려가는 일 정도는 거뜬했을 테다. 보나는 휴대폰을 든 채 벽에 붙은 원목 시계를 살폈다. 11시 41분. 퇴근까지 9분이 남았다. 시간대가 훌륭했다. 어차피 점심시간

카운터는 혹시 모를 방문객을 위한 대비였다. 등록에 관심 있는 예비 회원일 경우엔 원장실에서 차를 마시던 원장이 직접 나왔다.

보나는 황급히 텀블러와 타월, 요가 밴드를 가방에 밀어 넣고 후드 집업 지퍼를 쭉 올렸다. 때마침 커피를 든 원장이 요가원으로 들어왔다. 가방에서 흘러내린 밴드와 보나의 발에서 벗겨지다 만 요가양말을 본 원장이 한쪽 눈썹을 치켜올렸다.

"원장님! 제가 지금 정말 급하게 가볼 일이 생겨서요, 오늘 9분만 일찍 퇴근할게요. 딱 9분만!"

원장이 한숨을 푹 쉬고 고개를 끄덕였다. 보나는 방긋 웃고 요가양말을 신은 채 그대로 운동화에 발을 밀어 넣었다. 로사가 집에서 저를 애타게 기다리고 있을 것이다.

프린터에서 색색의 포스터가 계속해서 빠져나왔다. 피시방 구석에서 교복을 입은 학생들이 요란하게 욕을 했다. 보나는 흡연실에서 흘러나오는 담배 냄새에 인상을 썼지만, 로사는 그런 것은 안중에도 없이 기계에서 프린트되어 나오는 루루의 사진만 홀린 듯 바라보았다. 집에서 가장 가까운 피시방에 온 참이었다. 보나와 로사는 루루가 배관을 밟고 빠져나간 게 확실하다는 결론을 내렸다. 베란다 창문을 열고 자세히 확인한 결과 희뿌연 먼지와 기름때가 묻은 배관 위로 고양이 발자국이 남아있었다. 그러나 바닥에 이르러서는 루루의 방향을 예상할 만한 흔적이 아무것도 없었다. 보나가 헐레벌떡 퇴근해 집으로 돌아왔을 때 로사는 주저앉아 울고 있었다. 저번과는 상황이 완전히 달랐다. 그때는 사람이 많지 않은 저녁 때라 루루를 자극할 만한 요소가 별로 없는 시간대인 데다 열린 현관문으로 빠져나갔으니, 몰리스빌에서 그다 멀어지지 않았으리란 계산을 할 수 있었다. 그러나 이번에는 한창 일에 열중하던 로사가 어느 순간 의아함을 느끼고 루루를 찾기 시작했다는 점에서 난이도가 급상승했다. 도대체 루루가 언제 빠져나간 건지, 집에서는 얼마나 멀어졌을지 예상할 수가 없었다. 이번에는 아무래도 쉽게 해결될 것 같지 않다는 울적한 예감이 보나의 머리를 스쳤다.

보나는 로사를 일으켜 루루의 사진을 내놓으라 외쳤다. 넋이 나간 로사가 휴대폰을 뒤져 루루의 사진을 찾는 동안 보나는 집에서 가장 가까운 피시방을 검색했다. 그러고는 이름과 나이, 간단한 특징만 적은 쪽지를 들고 로사와 5분거리 피시방으로 달려갔다. 수업 커리큘럼을 제출할 때처럼 시선을 끌거나 감각적인 디자인은 필요 없다. 눈에 잘 띄기만 하면 되는 거 아냐? 보나는 두꺼운 폰트로 고양이의 나이와 이름을 적었다. 연락처에는 로사의 전화번호 대신 제 번호를 적어두고 우선 100장을 복사하기로 했다.

종이 뭉치를 끌어안고 건물 밖으로 나온 보나와 로사는 각각 다른 방향으로 흩어지기로 했다. 가로등과 재활용 쓰레기장 벽, 공원의 나무와 정자 기둥, 혹시 몰라 산 초입 운동기구에까지 종이를 붙이니 보나가 맡은 50장은 금방 동이 났다. 마지막 종이를 붙이고 나서 보나는 한숨을 내쉬었다. 루루가 금방 돌아올 수 있을까?

"아가씨, 고양이 잃어버렸나 보네?"

지나가던 등산복의 아주머니가 말을 걸었다. 보나는 고개를 끄덕이며 혹시 보게 된다면 연락을 주시라 종이 위 전화번호를 가리켰다. 아주머니는 고개를 설레설레 저었다.

"집고양이가 나가면 찾기 어렵다더라. 개는 어디 떨어져도 집을 찾아온다는데, 고양이는 훌쩍 떠나버린다네."

"네?"

"이미 벌어진 일은 돌이키기 어렵다고."

보나가 당황한 사이 아주머니는 혀를 차며 떠나버렸다. 뒤늦게 부아가 치민 보나가 얼굴을 구겼지만, 아주머니는 이미 멀어진 후였다. 발을 구르던 보나는 주머니의 휴대폰 진동에 정신을 차렸다. 로사와 집 앞에서 만나기로 한 시간이 다가오고 있었다.

천천히 걸어 몰리스빌 204동으로 돌아가는 길, 보나는 잠시 생각에 잠겼다. 아주머니의 말에 처음엔 기분이 나빴지만 생각해 보면 틀린 말은 아니었다. 이미 쏟은 물을 다시 주워담을 수는 없는 일이니까. 그렇지만 보나는 루루를 쉽게 포기하고 싶지 않았다. 이건 로사를 위한 일이기도 했지만, 꼭 보나 자신에게 주어진 임무 같았다. 어떻게든 해내고 싶었다. 등산복 아줌마의 말 따윈 믿지 않는다.

“보나쌤, 퇴근해? 시간 있죠. 잠깐 들어와 봐요.”

오늘도 연보라색 돌기형 폼롤러 두 개를 옆구리에 끼고 돌아가려는 참이었다. 아무리 더운 여름이래도 운동하며 땀을 한 바가지 흘린 뒤에 맞는 바람은 제법 서늘했다. 후드집업 지퍼를 끝까지 올리고 스포

츠 양말을 정강이까지 끌어올려 만반의 준비를 마친 보나를 보고 원장은 픽 웃었다. 잠깐 들어오라는 말과 함께 원장실 문이 열렸다. 보나는 쭈뼛거리며 폼롤러를 신발장에 내려놓았다. 로사에게 급히 늦는다는 문자를 날리고 후드집업 지퍼를 다시 내렸다.

보나는 오랜만에 들어오는 원장실을 두리번거렸다. 대부분은 신규 회원을 위한 상담실로 쓰이니 사실상 최근에는 들어올 일이 없었던 곳이다. 어두운색의 원목 책장이 벽면 하나를 차지하고 있었다. 인도에서 번역되어 들어온 요가 강습 교재와 도통 이해할 수 없는 제목의 요가 철학서가 꽂혀있고 군데군데 빈칸에는 꽃무늬가 새겨진 작은 종과 찻잔, 싱잉볼이 있었다. 원장이 차를 우리자 은은한 꽃냄새가 좁은 방안에 퍼졌다. 긴장이 풀려 찻잔을 들고 향을 맡는 보나에게 원장이 말을 걸었다.

"보나쌤, 수업이 마음대로 안 되지?"

"네, 좀. 아, 음. 좀 그런 편이에요."

어떻게 말해야 어른스럽고 침착한 강사로 보일 수 있을까? 보나는 말을 더듬어버리고 혀를 잘근잘근 씹었다.

"보나쌤이 항상 열정적인 거 알아요. 지나가다 가끔 수업하는 거 보면 아직도 처음으로 요가하러 온 사람처럼 눈에서 레이저가 나오더라니까."

"저 정말 열심히 해요. 수업에 소홀한 적 한 번도 없어요."

"알아. 우리 요가원 선생님들도 다 알아. 근데 보나쌤, 그런 걸로는 안 돼. 만약에 어떤 회원이 타다아사나 하나가 어렵대. 그냥 가만히 바로 서서 호흡을 정돈하는 것도 힘들다고 그래요. 본인도 답답해 미치겠는데 도저히 안 된대. 보나 선생님이라면 어떻게 하겠어?"

"도와줘야죠. 몸이 뻣뻣한 건 고집이에요."

원장이 씩 웃었다. 눈가에 사근사근한 주름이 졌다.

"내가 말하고 싶은 게 바로 이거야. 보나쌤, 모든 건 적당히가 있어야 돼. 보나쌤이 그렇게 온몸에 힘주고 막 채찍질을 한다고 해서 모든 회원이 그걸 원해? 아닐 거야. 사람들은 그렇게 관심받고 싶어 하지 않아. 열정도 과하면 독이야. 선생님 아직도 한참 어려. 시간이 많잖아요? 시행착오를 많이 겪으면 달라지겠지만."

보나는 입을 다물었다. 원장의 눈에는 따뜻하고 다정한 기운이 맴돌았다. 요가의 세계를 안 이후로 보나는 이런 눈을 갖고 싶었다. 단순히 스트레칭과 몸매 관리를 위해 운동을 하고 싶은 게 아니었다. 요가는 정신을 수련하는 행위였다. 내면을 헤쳐 정돈하고 제어하기 위해 몸을 움직이는 게 바로 요가였다. 상담센터 대기실에서 운동 잡지를 펼쳐보다 우연히 요가에 대한 글을 읽고서는 이거다 싶었던 것이다. 이건 결국 보나 자신을 위한 일이었다. 보나는 고개를 푹 숙였다. 그렇지만 지금 원장의 눈에 자신이 어떻게 보일지 생각하니 귀가 뜨거웠다. 갈색빛이 도는 따뜻한 눈은 보나를 모조리 꿰뚫는 것 같았다. 내내 종종거리고 안절부절못하는 게 다 보였을까? 들켜버렸단 생각에 부끄러운 마음이 뱃속에서 치밀어올랐다. 지나가는 아주머니도 원장도 다 같은 얘기를 했다.

보나는 힘없이 인사하고 요가원을 나섰다. 평소보다 더 늦은 퇴근

길은 서늘하기만 했다. 폼롤러는 길쭉하고 불편하기만 했지 바람이라곤 막아줄 줄을 몰랐다.

루루가 사라진 지 벌써 사흘째였다. 보나는 이른 아침부터 로사의 전화에 잠이 깼다. 오늘도 같이 공원을 돌아보잔 이야기였다. 이런 세상에. 보나는 눈을 반만 뜨고 휴대폰으로 날짜를 확인했다. 출근하지 않는 토요일이었다. 원장에게 입은 타격이 여태 마음에서 가시지 않아 눈물을 찔끔 흘렸던 새벽이 지나고 아침이 왔다.

"보나, 듣고 있어?"

"응…."

오늘은 싫다는 말이 목구멍에 턱 걸렸다. 보나는 말꼬리를 늘리며 베개에 얼굴을 묻었다. 준비가 되면 알려달라는 로사의 말을 마지막으로 전화가 끊겼다. 보나는 이불을 뒤집어쓰고 앓는 소리를 냈다. 오늘은 정말로 쉬고 싶었다. 한숨이 폭폭 나왔다. 슬슬 버거워지고 있었다. 요가원에서는 막내 강사로 동동대고 로사 앞에서는 믿음직한 친구가 되는 일은 결코 쉽지 않았다. 좋은 사람이 되는 건 왜 이렇게 힘들까? 보나는 관자놀이를 세게 문질렀다. 비슷한 말을 연달아 들으니, 충격만 배로 불어났다. 도대체 제 어디가 어떻게 문제인지는 모르겠지만 마음이 울적해 정말로 혼자만의 시간이 필요했다.

로사는 시간이 지날수록 점점 더 초조해했다. 보나가 루루를 찾는 일에 더 열정적이기를 바라는 듯했다. 물론 보나도 그런 마음을 이해했다. 로사가 낯선 번호로 걸리는 전화를 무서워하니 포스터에 대신 전화번호를 적었을 정도다. 부디 루루가 무사히 돌아와 로사가 자신의 샷뜨바를 되찾길 바라는 마음은 거짓 하나 없는 진심이었다. 그렇지만 보나의 의지와 상관없이 양쪽에서 들어오는 타격이 보나를 바닥에 털썩 주저앉혔다.

"나한테 다들 왜 이러냐…."

테이블 위 노트북 화면에는 여태 마무리하지 못한 다음 달 수업 엑셀 파일이 떠 있었다. 표가 텅텅 비어 도대체 어떻게 해야 할지 몰랐다. 고양이를 찾는다는 공고문을 올려봤자 연락은 거의 오지 않았다. 보나도 예상했던 바였다. 간혹 모르는 번호로 전화가 와 받아보면 스팸 전화가 대부분. 문자로 연락이 오는 경우도 드물지만 있었다. 지나가는 노란 고양이라면 무조건 찍어 보내야 직성이 풀리는 사람인가 의심스러울 만큼 낯선, 땟국물이 흐르는 더러운 고양이 사진이긴 했지만.

아무리 휴대폰을 자주 확인하는 보나라 해도 하루 종일 긴장한 채 연락을 기다릴 순 없었다. 거기다 집 나간 고양이를 사흘 안에 찾지 못하면 사실상 가능성이 없단 얘기를 들은 후부터 루루에 대한 보나의 열정은 점점 사그라들었다.

보나는 다시 로사에게 전화를 걸었다.

"응, 우리 이제 나가?"

"아니. 미안, 로사. 나 오늘은 너무 아파서 못 나가겠어."

"아…. 그러면 저녁쯤에는?"

"모르겠어, 지금은 너무 아파. 나중에 다시 연락할게."

로사의 목소리가 시무룩했다. 조금 미안한 마음이 들었지만 보나는 부러 끙끙대는 소리를 내며 전화를 끊었다. 아무리 생각해도 오늘까지 루루를 찾으러 나가는 것은 무리였다. 보나는 느릿느릿 침대에서 일어나 낮은 테이블 앞에 앉았다.

로사는 좀 너무한 면이 있었다. 고양이 주인도 아니고 매일 출근하는 보나가 이만큼 하는 것도 어마어마하게 애를 쓰고 있는거라는 사실을 몰라줬다. 하루종일 집에서 쇼핑몰 홈페이지 디테일 수정을 하며 보내는 사람은 모를 직장인의 애환과 고통이 있단 말이다. 보나는 노트북 화면을 건드려 엑셀 파일을 켜고 다시 한숨을 쉬었다.

'고양이 공고문보고 연락드려요. 홀리빌3동 앞인데 치즈태비.한마리 지나갔어요. 콧등하얀데 점하나 있는게 비슷ㅎ서요.'

오타가 많은 문자였다. 진동음에 아무 생각 없이 휴대폰 화면을 바라봤던 보나는 화들짝 놀라 자리에서 벌떡 일어났다. 루루가 집을 나간 지 닷새째였다. 이쯤 되면 정말로 마음을 접어야 하는 게 아닌가 싶어 오늘도 로사의 어깨를 토닥여주고 나왔다. 오후 3시에 출근을 하며 혹시나 해 길거리를 둘러보면서 온 차였다. 로사는 이제 말수가 거의 없어져 모자와 마스크, 바람막이 점퍼로 무장하고 공원과 쓰레기장을 둘러보는 것 말고는 별다른 일도 하지 않았다. 저번 주부터 외주를 맡아 한창 진행해야 할 빈티지 소품샵 홈페이지가 커다란 모니터에 떠 있었다. 마감일이 곧 다가오지 않느냐 물어도 그렇다 대답만 할 뿐 로사의 신경은 딴 데에 가 있었다. 그렇게 애타게 기다리던 연락이 드디어 온 것이다.

보나는 목에서 터지려는 비명을 참으며 곧장 요가원 문으로 다가갔다. 복도에 나가 로사에게 전화를 해 당장 이 소식을 전할 생각이었다. 홀리빌 몇 동이더라? 3동이다! 보나가 퇴근하기까지는 아직 시간이 남았지만 로사는 집에 있으니 금방 도착할 수 있을 것이다. 홀리빌은 몰리스빌에서 그다지 멀지 않은 5층 주택 건물이었다. 역시 루루는 집 근처에 있었다. 가끔 사람 말을 알아듣나 싶을 만큼 똑똑한 고양이였으니 눈치 빠르게 집 근처에 머물고 있었는지도 몰랐다. 흥분한 보나가 로사의 번호를 누르려던 찰나였다.

마침 수업이 끝나 수련실에서 회원들이 우르르 몰려나왔다. 그중 낯이 익은 얼굴이 있었다. 바로 윤주 회원이었다. 화장기 없는 얼굴에 머리를 질끈 묶고 물을 마시는 익숙한 얼굴에 보나는 브레이크가 걸린 차처럼 멈춰 섰다. 윤주 회원은 유독 특별했다. 보나가 에트나 요가원의 강사직을 수락한 후 맡은 첫 장기회원이었다. 요가 수련생으로서 보나에겐 요가에 대한 회원의 순수한 열의가 중요했고 강사로서의 보나에겐 꾸준히 수업에 참여하는 회원의 끈기와 재력이 필요했다. 윤주 회원은 드물게 둘을 모두 갖춘 사람이었다. 처음으로 요가 강습을 맡아 손발을 덜덜 떨고 명상 지도를 하다 삑사리를 내는 보나의 처참한 수업을 지금까지 지켜봐 준 의리 있는 사람이었다. 요가원의 오래된 선생님들도 보나의 수업을 꾸준히 유지해 준 고객이 있다는 사실을 높이 평가했다. 변경이 잦은 회사 일정 때문에 이따금 한 타임 빠른 수업을 듣는 것을 제외하면 굳건하게 보나의 수업을 찾아주었다. 최근 계속해서 일정이 바뀌어 저번 주 수요일, 연장이 어렵다는 소식을 전한 후 처음으로 마주친 것이다.

보나는 휴대폰을 카운터에 내려놓았다. 저도 모르게 윤주 회원을 바라보는데 때마침 눈이 마주쳤다.

"앗, 윤주 씨, 안녕하세요."

"선생님 오랜만에 보네요."

윤주 회원이 살갑게 웃었다. 보나는 손가락을 꼼지락대며 눈치를 살폈다. 수업 얘기는 꺼내지 말자고 다짐했다. 왜 연장을 하지 않냐고 돌려 묻는 것처럼 보이고 싶지는 않았다.

"일, 일이 계속 바쁘시죠! 저번 주에는 수업에서 못 뵈었잖아요. 월수금 수업."

보는 눈만 없으면 스스로 머리를 쥐어박고 싶었다. 말을 흐린 보나는 속으로 한껏 창피해했다. 윤주 회원이 사물함에서 안경을 꺼내 썼다. 보나는 어색하게 손을 모아 서서 윤주 회원을 기다렸다. 평소 같으면 마음을 편안하게 해주었을 복도의 할로겐 조명은 오늘은 제 역할을 하지 못했다.

"그러네요. 아무래도 시간이 계속 번거롭게 돼서 어떻게 해야 하나 싶어요."

"그렇죠, 요즘 딱 바쁠 시기라…."

대화가 뚝 끊겼다. 보통 때와는 다른 모습을 보여주고 싶었지만 이렇게 되어서야 오랫동안 함께한 회원 관리도 못한다는 사실만 분명해졌다. 결국 보나는 말을 잇기를 포기하고 애매한 웃음을 입가에 걸쳤다.

"그럼 저는 곧 수업이 시작할 거라. 안녕히 가세요, 윤주 씨."

"네, 보나쌤도 다음에 뵈어요."

사물함을 지나 카운터에 돌아온 보나는 책상에 엎드려 한숨을 푹 내쉬었다. 도대체 마음대로 되는 일이 없다. 기껏 따라가서 한 말이 바쁘시냐, 아무래도 요즘은 그런 시기다 맞장구 친 게 전부다. 이렇게 말재주가 없는 강사에게 실망해 가뜩이나 없던 연장 생각이 이 일로 완전히 싹 가셨다면 정말 괴로울 것 같았다. 얼굴을 묻고 한껏 울적해 하던 보나는 책상에 올려두었던 휴대폰을 집어 들었다. 화면을 켜자, 오타가 가득한 문자가 보였다. 어? 보나가 눈을 휘둥그레 떴다. 루루를 본 것 같다는 연락을 완전히 잊고 있었다는 게 이제서야 떠올랐다.

보나는 뒤늦게 로사에게 연락을 보냈다. 이미 40분 정도가 지나있었다. 간신히 로사에게 홀리빌 3동에서 누군가 루루를 목격했다는 이야기만 전달하고 곧장 수업에 들어갔다. 저녁반 수업을 마치고 나왔을 때는 이미 하늘이 거의 어둑해진 때였다. 보나는 수련실에서 나오자마자 로사에게 전화를 걸었다. 그러나 로사는 전화를 받지 않았다.

보나는 가방을 대강 챙겨 지하철역으로 달려갔다. 오늘은 폼롤러를 챙길 정신도 없었다. 퇴근 시간 지하철에는 사람이 꽉꽉 차 숨이 막혔지만, 꾹 참고 버텼다. 지하철역에서 총알처럼 튀어나간 보나는 곧바로 홀리빌 앞으로 달려갔다. 그곳에 로사가 없다면 곧장 집으로 향할 작정이었다. 보나는 숨을 헐떡이며 주변을 두리번거렸다. 몰리스빌에서 빠른 걸음으로 10분 거리의 홀리빌 3동 앞에는 작은 공원과 주차장이 있었다. 운동기구가 있어 동네 노인들이 주로 왔다 갔다 하는 곳이었다. 루루와 비슷한 고양이가 있었다는 문자에서 설명한 곳이 바로 이 공원이었다. 보나는 공원을 살폈지만, 가로등 아래 운동하는 할아버지 두어 명을 제외하곤 아무도 없었다. 등을 돌려 다시 집으로 가려던 찰나, 보나는 가로등이 꺼진 벤치에 고개를 푹 숙이고 앉은 누군가를 발견했다.

모자 밑으로 빠져나온 긴 머리카락을 보자 바로 알 수 있었다. 로사였다. 로사의 옆에는 루루의 장난감과 간식 봉투 같은 것이 널려있었다. 보나는 천천히 로사에게 다가갔다. 칠이 벗겨진 벤치에 가까이 다가가자, 로사에게서 훌쩍이는 소리가 들렸다.

“로사야, 어떻게 됐어?”

보나는 나지막이 말했다.

“루루가 없어. 네 문자 받자마자 왔는데. 너무 늦었나 봐.”

로사가 훌쩍이며 말했다. 고개를 든 로사의 눈두덩이 온통 부어 토실토실했다. 사람들과 마주치지 않기 위해 쓴 마스크 위에도 길게 눈물자국이 있었다.

“내가 문자를 늦게 전달했어. 그 문자 받고 나서 바로 너한테 보내려고 했는데 그때 딱 우리 회원을 마주쳐서….”

보나가 말을 흐렸다.

“보나, 너 바빴잖아. 나도 알아. 너한테 다 부탁하면 안 됐어.”

의외의 말이었다. 로사가 원망할 줄 알았는데. 뒤늦게 보나의 눈에도 눈물이 핑 돌았다. 왜 하필 문자를 받은 순간에 윤주 회원을 마주쳤을까. 정신이 팔려 문자를 늦게 전달하지만 않았으면 로사가 루루를 찾았을지도 모른다. 아니면, 그 문자 하나를 로사에게 전달하고 나서 윤주 회원에게 말을 걸었으면. 그랬으면 차라리 조금 더 차분하게, 뭔가 그럴듯한 말을 건넬 수 있었을 것이다. 흥분해서, 들떠서, 고작 문자 하나를 늦게 전달해서. 매번 이렇게 동동대고 일을 망쳐버리지. 결국 보나의 눈에서도 눈물이 뚝 떨어졌다.

"내가 잘못 생각했어. 너를 재촉한다고 내 마음대로 되는 건 아니지."

울음을 그친 로사가 나지막한 목소리로 말했다.

지금만큼은 로사의 단정적인 말투가 밉지 않았다. 이건 보나에게 늘어놓는 훈계가 아니라 로사가 스스로에게 하는 말이었다. 동시에 로사가 지금껏 했던 어떤 이야기보다 가슴에 스며들었다.

"지금까지 도와줘서 고마워, 보나."

보나는 고개를 끄덕이고 눈을 꼭 감았다. 로사는 보나를 탓하지 않았다. 로사 같은 친구를 만난 것은 행운이었다. 보나와 로사는 켜가 일어난 공원 벤치에 앉아 함께 울었다. 옷소매로 얼굴을 문지른 로사가 부스럭대며 간식 봉투와 장난감을 그러모았다. 보나가 옆에 내려놓은 가방까지 어깨에 둘러멘 로사가 일어섰다.

"이제 가자."

보나는 로사를 올려다보았다. 멀리 있는 가로등 빛이 로사의 모자에 막혀 마치 빛을 받는 것처럼 보였다. 눈두덩과 코가 빨갛게 부었지만 씩씩하게 일어선 로사가 먼저 걸음을 옮겼다. 뒤늦게 자리에서 일어난 보나가 로사의 뒤를 따랐다. 로사는 보나의 생각보다 강인했다. 루루와 로사는 꼭 닮았으니 루루도 그럴 것이다.

끝내 루루를 찾지 못했다는 생각에 마음이 무거웠다. 아무리 노력해도 이룰 수 없는 게 정말 있는 건가? 포기하고 싶지 않아도 포기해야만 하는 일이 있다. 루루는 영리한 고양이니 분명 어딘가에 잘 숨어 있을 거라고, 보나는 그렇게 생각하기로 했다. 기다리면 다시 노란 고양이를 목격했다는 연락이 올 것이다. 그러면 이번에는 정말로 로사를 꼭 붙잡고 그곳을 향해 달려가야지. 삶은 이름을 따라간다니 루루도 마찬가지일 거다. 사람을 일으키고 세상을 밝게 만드는 밝은 성질. 루루와 샷뜨바. 보나는 코를 세게 들이마셨다.

둘은 짐을 나눠 들고 공원 입구로 향했다. 무심코 바라본 공원 입구 풀밭에는 어린아이들이 머리를 맞대고 둥그렇게 모여있었다. 무언가를 구경하고 있는 듯했다.

"노란 줄무늬 너무 예뻐."

"고양이 발바닥 만져봤어? 진짜 말랑말랑해. 데려가고 싶다."

"우리 형이 그러는데 이렇게 깨끗한 고양이는 집에서 키우던 거래."

뭐? 로사와 보나는 시선을 교환했다. 로사의 손에서 간식 봉투가 툭 떨어졌다. 풀밭에는 익숙한 노란 줄무늬의 고양이가 뻔뻔하게 드러누워 아이들의 쓰다듬을 받고 있었다.

보나는 자리에서 일어나 뻐근한 어깨를 폈다. 날개뼈가 모이며 근육이 조여드는 게 느껴졌다. 벽에 붙은 원목 시계를 확인하니 벌써 한 시간이 지나있었다. 한참을 붙잡고 씨름하던 다음 달 수업 루틴을 마침내 마무리한 참이었다. 화면에는 시간표를 정리한 엑셀 파일이 떠 있었다. 어젯밤 고민의 고민을 거듭한 끝에 보나는 커리큘럼을 바꾸기로 했다. 다음 달부터는 인요가를 시도해 볼 작정이었다. 오랫동안 고집해 왔던 속도감 있는 아쉬탕가 수업을 내려놓기로 했다.

루루를 찾은 다음 날 로사와 보나는 루루를 동물병원에 데려갔다. 6일 가까이 밖에서 돌아다닌 게 무색하도록 털이 깨끗했다. 진드기나 벌레에게 물린 흔적도 없었고 이상한 것을 삼키지도 않았다. 오히려 밖을 돌아다니며 뭘 얻어먹은 건지 살이 포동포동하게 오른 듯했다. 로사는 루루의 코에 몇 번이나 입을 맞췄다. 집에 돌아온 보나와 로사, 루루는 오랫동안 잠에 빠져들었다. 그동안 쌓인 긴장과 스트레스는 루루도 사람 못지않았는지 셋은 다음 날 늦은 오후에서야 잠에서 깨어났다. 식사를 차릴 기운도 없어 배달 음식을 주문해 배를 채웠다. 그리고 밤이 되어서야 보나는 노트북을 켰다. 저번과는 다르게 꽉 막혀있던 것이 뚫리기라도 한 듯 시간표가 술술 그려졌다.

정적이고 느릿하며 부드러운, 한 시점에 머무르는. 보나는 교재 속 인요가를 묘사하는 문장에 형광펜으로 밑줄을 그었다. 마음에 부드럽게 꽂히는 말이었다. 지나가다 화면을 본 원장도 만족스러운 얼굴로 고개를 끄덕였다. 보나는 가만히 선 채 완성된 이미지 파일을 빤히 바라보았다. 여태까지 했던 것과 사뭇 달라진 시간표가 꽤 마음에 들었다. 그때 누군가 카운터를 똑똑 두드렸다.

"보나쌤, 안녕하세요."

윤주 회원이었다. 운동복을 입고 안경을 쓴 채 머리를 질끈 묶은 모습이 여느 때와 다름없었다. 그동안 보나와 윤주 회원은 최소한의 대화와 인사를 나누는 데 그쳤다. 속으로는 윤주 회원에게 이것저것 얘기하고 싶어도 부담스러울까 망설이다 타이밍을 놓쳤다. 저번 사물함 앞에서의 짧은 대화 후로 윤주 회원과의 관계는 완전히 망했구나 싶어 절망했던 차에, 윤주 회원이 먼저 이렇게 말을 건 것이다. 보나는 떨리는 마음으로 노트북을 들어 올려 화면에 떠 있는 시간표를 보여주었다.

"안녕하세요, 윤주 씨. 다, 다음 달 시간표 보여드릴까요…."

이런 등신. 모처럼 온 기회를 말이나 더듬으며 날리다니. 그런데 그때 카운터에 편안하게 기대선 윤주 회원이 고개를 끄덕였다. 보나의 뺨이 뜨끈해졌다. 화면을 꼼꼼히 살핀 윤주 회원이 작은 목소리로 말했다.

"조금 바뀌었네요. 기대할게요."

보나의 가슴이 두근거리기 시작했다. 이제야 뭔가 제대로 흘러간다는 생각에 마음이 벅차올랐다. 때마침 노트북 화면에 개인 메시지 창이 떴다. 아주 잠깐 깜박이고 사라진 것이었지만 보나는 재빠르게 내용을 읽었다.

'나 이제 홈페이지 외주는 그만둘까 봐. 내 쇼핑몰 만들어보고 싶어.'

로사의 문자였다. 보나의 얼굴에 환한 웃음이 떠올랐다. 예감이 좋았다.

에필로그

한 발짝을 떼는 것조차 뼈를 깎는 아픔이라는 생각이 든다. 문을 열기는커녕 빛이 들어올 아주 조그만 틈새를 만드는 것으로 온 힘을 다 쓸 수도 있다. 고작 그만큼으로도 변화할 수 있다. 글은 숨통을 여는 것뿐이다. 그다음은 어떻게 되어도 좋다. 아직 문을 여는 중이기 때문에 이후의 장면은 쓸 수 없다.

은색 사바나

발행 2024년 07월 19일
지은이 김민지
디자인 조미진
펴낸이 정원우
펴낸곳 글ego
출판등록 2019.06.21 (제2019-000227호)
주소 서울시 강남구 강남대로 118길 24 3층
이메일 writing4ego@gmail.com
홈페이지 http://egowriting.com
인스타그램 @egowriting

ISBN 979-11-6666-525-7

© 2024. 김민지
이 책은 저작권법에 따라 보호받는 저작물이므로 무단 전재 및 복제를 금합니다.